感情的にならない話し方

和田秀樹

三笠書房

まえがき

『感情的にならない本』（新講社刊）が私の書いた本の中で一、二を争うベストセラーになりました。

それだけ自分が感情的になることを悩む人、感情的になって損をしている人が多いのでしょう。感情をコントロールできないことによって人間関係で失敗したり、疎遠になったりすることが多いのです。家庭でもそうですね。感情的に子どもと向き合っては子育てもうまくいきません。

いっぽうで、感情を押し殺すことは胃潰瘍のような心身症を含めてメンタルヘルスに悪いことが多いというのは、ある意味、心身医学などの世界では常識です。

その兼ね合いが大事になります。わたし自身、感情を押し殺せと言っているわけではありません。わたしが主張しているのは、感情的になってもいいけれど、感情の行動化

（言ってはいけない言葉を吐いたり、不機嫌な顔をしたり、ときに手が出てしまうこと）はいけない、すなわち感情に振り回されてはいけないということです（感情に振り回されると判断力も狂います）。

わたし自身、自分のことをかなり感情的だと思っています。

しかし、精神科医の仕事をしているとき、人とのコミュニケーションをとっているときなどは違います。悪感情はコントロールします。おかげで患者さんや周りの人は、わたしを温厚な人間だと思っているふしさえあります。

ここでは精神科医としてのわたしは、自分の話し方に細心の注意を払っているのです。

むかし、『大人のケンカ必勝法』（ＰＨＰ研究所刊）という本を書いたことがありました。相手を感情的にさせれば論争には勝ちやすいというような内容でした。どうしても論争で勝ちたいときなどは、そういう手段を使うことがありました。しかしその人との関係は決定的にこじれてしまいます。

そこから学ぶことが多々ありました。こちらの話し方ひとつで好感を抱いていただく方が増えるのです。また自分の感情を静めることもできます。

そこで、今回、わたし自身が実践している感情的にならずに済む話し方をまとめてみることにしました。

『感情的にならない本』でも決めつけがまずいということは強調したつもりですが、「話し方」という点でも強調したいのは、「決めつけから自由になる」ことです。そして失敗をしたなと思ったらどう修正するかということです。

現代の精神分析学では、こちらの語りかけ、話し方で相手が機嫌を損ねたり、不快感を抱いたら、たとえ親切のつもりであっても「共感」がうまくいっていないと考えます。そこで、大切になるのが訂正したり、別の言い方をしたりすることです。そうしているうちに相手の気分が収まります。共感も生まれます。治療の場合ならよい結果に進みます。

感情的にならない話し方というのは、ちょっとした心がけとテクニックで意外に実践しやすいものなのです。

本書があなたの人間関係を変え、心の平和を得るためのお役に立てば、著者として幸甚この上ありません。

感情的にならない話し方　目次

プロローグ
「感情的にならない話し方」のためのルール

第1章 イライラするのは相手のせい？ 自分のせい？

第2章 やわらかく、はっきりと伝える話し方

第3章

「知らない」と無視せず「教えて」と呼びかけよう

第4章　「言いたいことはわかる」と受け止める話し方

第5章

「わたしの間違いでした」と素直に言えますか？

第6章 「どっちなの!」と答えを急がせていませんか?

第7章

「ありがとう」は相手を信じる話し方

エピローグ

嫌いな人でも正しいことを言います

本文DTP：株式会社Sun Fuerza

プロローグ

「感情的にならない話し方」のためのルール

感情を行動に出さない——これだけは守ろう

わたしは〝感情〟をテーマに何冊かの本を書いてきました。

幸い、たくさんの読者の方の支持を得ることができましたが、わたし自身、べつに「悟りを開いている人間」ではありません。これは言うまでもないことです。

いまでも結構、感情的になるときがあります。人目のないときはとくにそうで、たとえば車を運転しているときに前の車が黄色信号で止まっただけで「何やってんだ！」と怒鳴りつけることがあります（もちろん外には聞こえません）。

ものに当たることもあります。ムシャクシャして新聞を叩きつけたりパソコンを叩いたりするぐらいはやってしまいます。まえがきにも書きましたが、目の前に相手がいる場合だけは違います。どんなに感情的になったとしても、その感情を行動化しないことだけはつねに心がけています。たとえば人を怒鳴ったり、傷つけるような言葉は口にしないといったことです。人間は感情の生きものですから、感情的になってしまうこと自体は仕方ありません。ただ、許される範囲を考えること、それだけは守らなければいけないし、わたしが心がけているのもその一点になります。

実際、他人と話していてイライラ、ムカムカしてくることは誰にでもあります。こちらの言うことを全然わかってくれないとか、最初から見下した態度で向き合ってくるとか、自分の要求だけを突きつけてくるとか、「何なんだ、この人は」と思うとつい感情的になってしまいます。

しかも相手は職場の人間だったり、仕事上のつき合いだったりします。今後も顔を合わせなければいけないし、利害も絡んできます。感情的になるわけにはいかないことが多いのです。これはつらいですね。にもかかわらず、怒りを抑えることがむずかしくなるときだってあるはずです。そういう場合でも、たった1つのことだけ守ろうと決めておけば、少しは自分を見失うことなく切り抜けることができます。それが、行動に表さないということです。怒鳴らないとか、悪意むき出しの言葉は吐かない、それを守ることです。まず、そんな最低限のルールだけ決めておいてください。

一瞬の怒りをセーブするルールを作っておこう

「そんな単純なルールで感情的にならずに済むのか」

そう思う人もいると思います。

けれどもわたしは、わかる人が相手なら言いたいことを言ってもそれなりにフランクにつき合えると考えています。意見や主張が食い違って激しい議論になったとしても、言われて傷つくような言葉は絶対に口にしないとか、相手が気にしていることを言わないとか、そういった地雷を踏むようなことさえ避ければちゃんとやっていけます。

たとえば経済評論家の勝間和代さんとわたしでは、おたがいの経済理論が合いません。大勢の前で、周囲がびっくりするような大喧嘩をしたこともあります。でも、そのあとも仲よくつき合っています。問題は、「わかる人」だけではないということです。世の中にわからず屋はいくらでもいるし、怒りや不満を隠そうともしない人、それを言葉や態度に表して平気な人だっているからです。

それからたとえ「わかる人」でも、つい感情的になってしまうことがあります。いつもは冷静な人が自分を見失ったり、こちらを傷つけるような言葉を投げつけてくるときだってあります。

しかもそういう人たちが仕事の場合はお客さまだったり取引先だったりすることもあります。上司であったり同じ職場の先輩、同僚であったりします。「もう我慢できない」とか「いくらなんでも許せない」と怒りがこみ上げてくるときだってあるはずです。

そういう場合でも、こちらが怒鳴り返したり、相手を傷つけるような言葉を吐かない限り、何とか収まります。態度や行動に表さないと決めていれば、不思議なもので目の前で怒り狂っている相手を「どうしようもないな」と見つめることだってできるからです。

実際、怒りの感情は一瞬で醒めます。

「こんな人、まともに相手にしていられない」という気持ちになってきます。

でもその一瞬の怒りに任せてしまうと、爆発しますね。おたがいの傷つけ合いになってしまい、引っ込みがつかなくなるのです。

リラックスして話せば感情的にならずに済む

どうしてこんな単純なルール、誰でもわかり切っているルールから話し始めたかというと、感情的な話し方をしないためにあれこれ細かいルールを作っても、かえってぎこちなくなるからです。

たとえば言葉遣いや受け答えの仕方、態度、目線、声の大きさやトーンの高さ、そういったものをすべて気にかけてしまうと、全然、リラックスして話せません。

それに会話はそのときの雰囲気次第でどんどん流れていきます。

いい雰囲気になっているときには、おたがい、何も気にしないで好きなことを好きなように話してもうまくいきます。

むしろ、せっかく打ち解けた雰囲気になっているのに、片方が感情を押し殺して冷静なままでいると、会話も盛り上がりません。

嬉しいときや楽しいときは、喜びの感情を素直に出したほうがおたがいの共感も高まります。

雰囲気が険しくなったときも同じです。

相手が感情的になって自分の意見を強く主張し始めたら、こちらも熱くなっていいはずです。議論を戦わせるときぐらい、思いっきり熱くなりましょう。

もちろんそういう場合でも、ここまでに説明した最低限のルールだけは守ります。

どんなに熱くなっても、感情を行動に表さないかぎり議論は楽しいし、頭をフル回転させることで怒りも醒めてきます。

ちなみにわたしは、自分が感情的になっているなと思うときには、その怒りの理論武装を試みます。

たとえば教育や医療・福祉、政治や経済も含めて、いまの日本には腹の立つことがいくらでもありますが、ただ怒るのではなく、なぜ間違っているのか、統計的なデータとしてはどうなっているのか、どうすればいいのかを必死に考えて自分の頭の中を整理します。

そうすることで、少なくとも感情的な怒りだけは収まります。どんなに熱くなって議論しても、考え続けている間は冷静でいられるからです。

これもリラックスですね。

カッカして身構えるのではなく、あるいは全身こわばらせて対決するのではなく、相手の話も聞いた上でこちらの意見をぶつけるのですから、こちらの心だけはゆったりさせておく必要があります。

何を話し合っているのか、その目的を忘れてはいけない

20代のころの出来事なので詳細は覚えていないですが、あるトラブルがあって話し合い、そこでつい感情的になってしまって「勝手にしろ」と放り投げたことがあります。あんまりごちゃごちゃ言われたので、カッとなってしまったのです。

その結果、大切にしていた事業を手放すことになってずいぶん損をしました。

もともとわたしにはそういう短気なところがあって、子どものころにもゲームで負けるとゲーム盤をいつもひっくり返していましたから、仲間はずれにされるのも当然です。

わたし自身、そういう感情的になりやすい自分に懲りていましたから、大人になってから失敗したのはいま挙げた事業のことぐらいです。

わたしたちは感情的になってしまうと、その場の怒りに任せてつい乱暴な結論を出し

てしまいます。

話し合って一致点を見出すつもりだったのに、「どうにでもなれ」と放り投げてしまうこともあります。

それによってすべての責任を負わされたり、相手の要求を丸呑みしなければならないことだってあります。

たとえば上司にネチネチと責められているうちに、カッとなって辞表を叩きつけるようなことです。

「そんなつもりはなかったのに」と後で悔やんでも遅いのです。


逆に相手の気持ちを踏みにじって力で押しつぶすこともあります。たとえば親がスマホを手放さない子どもと話し合って、使い方のルールを決めようとしたときです。

話し合う目的はスマホを使ってもいいけれど時間や使い方を決めようということだったのに、子どもがあんまりわがままを言うと、親もついカッとなってしまい、「そんなに言うならもう使わせない」と取り上げてしまうことがあります。

あるいは「おまえはもう勉強しなくていいから、好きなだけスマホやってなさい」とやけくその結論を出すこともあります。

どちらの場合でも、決していい結果は生まれませんね。

そういう場合でも、「なぜ話し合うのか」「話し合いの目的は何なのか」を心に留めておくことで、たとえ感情的になっても一時の怒りに振り回されることだけはなくなるはずです。

これは話し方というより心の持ち方になってきますが、心の持ち方が話し方をコントロールするというのは事実です。

「しまった」と思うのはあなたに理性が残っているから

感情的にならない話し方について、読者の皆さんが期待しているのは「どうすれば感情的にならずに話せるか」だと思います。


――感情的になって失敗したことがある。

――ふだんから、つい感情的になってしまうので人間関係がうまくいかない。

――嫌いな相手、苦手な相手でも感情的にならずに話せる方法はないだろうか。

――悪意のある言葉をバンバンぶつけてくる相手を、どうすればうまく説得できるだろうか。


そんな悩みや不安があるから、この本を手に取ってくださったのだと思います。

もちろん、それぞれのケースに応じた話し方のコツは、本文の中でも可能な限り説明してみます。

けれども基本はここまでに書いた3つです。

◉態度や行動に表さないこと。
◉リラックスして流れに任せること。
◉目的を忘れないこと。

なぜ、最初に基本的なこの3つを挙げたかといえば、ここさえ守ればほとんどのケースで感情的にならずに済むからですが、もう1つ大切なことがあります。

この3つさえ心がけていれば、たとえ一瞬の油断で感情的になったとしても、すぐに修正できます。人間はどうしても感情に突き動かされる生きものですから、どんなに冷静で心の広い人でも「しまった」と思うときはあります。

でも「しまった」と思うのは、その人にまだ理性が残っているからですね。「こんな個人攻撃はするべきじゃない」とか「こんな傷つけるような言葉を口にしてはいけない」と反省できるからです。

その反省すらできなくなったら、もう手遅れです。相手があなたを憎むだけではなく、周囲もあなたを信頼できなくなるでしょう。「こんなひどいことを言う人だったのか」と失望するはずです。

感情的にならない話し方は、とくにむずかしくはありません。

わたし自身、かつてはひどかったし、最初にも書きましたようにいまでも感情的になることがあります。でも、開き直りができました。「なったらなったでしょうがない」という開き直りですが、それは同時に、「これだけは守ろう」というルールを決めたことでできることです。

本文の中ではいろいろなことを考えてみますが、どうぞリラックスしてお読みください。

第1章

イライラするのは相手のせい？
自分のせい？

「わたしのせいじゃない」と思いたくなるとき

他人と話していて、わたしたちがつい感情的になってしまうのは、２つの原因があります。

ものすごく大ざっぱな分け方かもしれませんが、

① 自分がイライラしているとき。

② 相手がイライラしているときです。

前者はわかると思います。

いろいろな理由があって、とにかくあなたはイライラしています。

忙しい、思うようにいかない、腹の立つことがあった、疲れている……そういうときでも、仕事のことや個人的な用件、あるいは身近な人から声がかかればその人と話さなければいけません。

「面倒くさいな」とか「そんな気分じゃない」「いまでなくてもいいのに」と思うのですが、あなただって大人です。「ちゃんと話そう」と考えます。

「仕事なんだからちゃんと対応しなくちゃ」

「相手だって何か話したいことがあるんだから、きちんと聞いてあげなくちゃ」

ところがダメです。話し始めてまもなく、つい感情的になってしまいます。

「そんなくだらないこと、なぜいま話さなければいけないんだ」

「言いたいことがあったらはっきり言えばいいのに、話が回りくどい」

それでつい、相手の話を遮ってしまいます。

「忙しいんだけど!」とか「何を言いたいんだ!」といった言葉が出てしまうのです。

そのときあなたは、というかあなたに限らずほとんどの人は、相手のせいだと考えます。

「こっちだってちゃんと聞くつもりだったんだ。イライラしちゃいけないと思ってた」

それなのに、相手がイライラさせるような話し方をするからつい、感情的になってしまったと考えます。

「わたしのせいじゃない」です。

でもほんとうのところはどうでしょうか？

あなたがもしイライラしていなかったら、相手のくだらない話に笑いながら応じたかもしれません。

グズグズしている話し方にも、「うん、うん」と落ち着いて先を促すことができたかもしれません。ここがむずかしいところです。

「悪いのは相手」と思い込んでいるあなたへ

もう1つの原因、相手がイライラしているときはどうでしょうか。

これもはっきりしているように感じます。

「取り合わないつもりだったけど、あんまりひどいこと言うからついカッとなってしまった」

「いくらわたしでも、あそこまで言われたら冷静になんかなれない」

完全に相手のせいですね。

ただ、後悔がないかといえばそこは複雑です。

「あんな人の言うこと、いちいち真に受けていたらこっちが振り回されてしまう。『はい、はい』って受け流しておけばよかった」

そう考えると、「まだ修行が足りないかな」という気持ちにもなってくるからです。

ましてや相手がふだんから嫌っている人、心のどこかで軽蔑しているような人だとすれば、カッとなってしまった自分も相手と同じレベルに成り下がったような気がします。やはり苦い後悔が残ります。

つまり、つい感情的になってしまった原因が相手の話し方にあったとしても、〝挑発〟に乗ってしまった自分に気がつくと、そこではじめて冷静な気持ちになることができます。相手のせいだ、悪いのは相手だと思い込んでいる限り、いつまでもカッカした気持ちのままですし、また同じことを繰り返してしまいます。

実際、感情的になりやすい人ほど、「悪いのは相手」と思い込みがちです。

「あんなひどい言い方ってある？」

「自分は何様のつもりなの？」

「わたしを何だと思ってるの？」

そんな言葉でいつまでも相手を罵り続けます。

そういう様子を見ていると、周囲の人は「この人も問題あるな」と感じてしまうことが多いのです。

「なんでこうなっちゃうんだろう」、そう思うとき

結局、つい感情的になってしまう原因は相手にも自分にもあるということですね。

ほとんどの会話は一対一ですから、片方が感情的になればもう片方もどうしても冷静ではいられなくなります。

まして自分がイライラしているときは、相手のちょっとした言葉や態度にも過剰に反応してしまいます。

「どういう意味だ」とか、「なんだ、その態度は」と反発しますから、抑えがきかなくなってしまうのです。

ここから先は、みなさんにも経験があるはずです。

きつい言葉を返してしまえば、相手も表情が変わります。

上司と部下のように上下関係がはっきりしている場合でも、雰囲気は息苦しくなります。たとえ上司が力ずくで部下を納得させたとしても、後味の悪さは残ります。

同僚や友人の場合なら、ケンカにはならなくてもしばらくは口も利きません。

ふだん仲のよかった友人とそうなってしまうと、やっぱり後悔しますね。「なんでこうなっちゃったんだろう」と誰でも思うはずです。

つまり、そのときは「相手のせい」と思っても、時間が経って落ち着いてくるとどっちのせいだかわからなくなってきます。

「相手も悪いけど、わたしも悪かった」と思えるようになってくるのです。

これは、曖昧な決着を受け入れる余裕ができたということです。

カッカしているときは白黒をはっきりつけないと気が済みません。

「相手が悪い、わたしは少しも悪くない」と決めつけていますが、感情が収まってくると「どっちもどっちかな」と思えるようになってくるのです。

実際、仲がよかった友人とは、ほんのちょっとしたきっかけでもとのつき合いに戻ります。同僚とも時間が経てばふつうの関係に戻ります。

「相手のせいだ」と思い続けたところで、いつまでも嫌な気持ちが続くだけですから、済んだことは忘れてしまいたくなるのです。

でも、それがわたしたちのいいところですね。

時間が経てばたいていの悪感情は整理できます。

「なんでこうなっちゃったんだろう」と思うこころには、「相手が悪い」という決めつけもずいぶん薄れているからです。

言葉のやり取りは「感情のやり取り」です

感情をテーマにした本を何冊か書いてきましたが、その中でわたしはいつも「人間関係は感情関係」と説明してきました。

たとえば相手の言葉に理屈ではどんなに納得できても、それが嫌いな人間の言葉なら反発します。

ひどいときには話を聞く前から「こんなやつの言うことなんか」という気持ちになってしまいます。

逆に好きな人間の言葉なら、話が始まる前から笑顔で頷いてしまいます。「うん、うん」とか「そう、そう」といった共感が生まれ、どんな話であっても素直に耳を傾けることができます。

理性のフィルターより、感情のフィルターのほうが、どうしても強く働いてしまうのです。

もちろん、それがいいことだとは思いません。わたし自身、つねに「誰が話すか」よりも「何を話すか」を大事にしようと心がけています。

これはこれで、自分が感情的にならないための大切な心構えだと思っているのです。

ただ、現実の会話の中では、そういう気持ちをつい忘れてしまうことがあります。相手の言っていることは正しい、少なくとも間違いではないと思っても、あまりに断定的な言い方をされたり、こちらを見下したような態度を取られたりすると、感情的な反発が生まれてしまうからです。

そしてここでも逆のケースがあります。

穏やかな話し方、誠実な話し方、ユーモラスな話し方、とにかくこちらの感情を解きほぐしてくれるような話し方に出合うと、ちゃんと聞く気持ちになります。

「わたしとは考えが違うけど、この人の言うことにも一理あるな」と納得することだってあるのです。

つまり、言葉のやり取りは意見や考え、あるいは知識や情報のやり取りのように見えても、じつは感情のやり取りの部分が大きいのです。

少なくとも、理性や知性のやり取りだけで会話が成り立つのでなく、つねに「感情のやり取り」も絡んでいるということです。

だとすれば、「どっちのせい」と考えるのはあまり意味のないことですね。

あなたは「相手のせい」と思っても、相手だって「あの人のせい」と思っているのですから、答えはシンプルに、あなたはあなたの話し方を工夫するだけでいいはずです。

感情を抑えてもうまくいかないことがあります

「しまった」と思うことは誰でもあります。

「いまの、ちょっと言い過ぎた」とか、「何か気に障ることを言ってしまったかな」と不安になるときです。

相手の表情が硬くなっています。急に黙り込んだり、言葉が乱暴になったりします。明らかに不機嫌な様子がうかがえます。

これはもう、あなたの言葉や話し方が相手を感情的にさせたとしか思えません。

問題はそこでどうするかということです。

「わたしはべつに、間違えたことを言ったわけじゃない。どう受け止めるか、相手の勝手だろう」

そう考える人もいるでしょう。会話を感情抜きで考えれば、これはこれでひとつの結論です。

でも、相手が感情的になってしまえば伝わるものも伝わりません。自分の考えや気持ちを伝えたい、わかってもらいたいと思って話すのですから、感情的にさせてしまうというのは話し方のミスです。ミスなら修正するしかありません。

よく「言葉にしてしまうと引っ込みがつかなくなる」と言いますね。

それを避けるために、思ったことでも口にしないとか、努めて感情を抑えた話し方をすると、こんどは自分が欲求不満になってきます。それが態度や顔に表れれば結局同じことです。

あるいは事務的な言い方が冷淡に思われることだってあります。

「この人はいつも冷淡だけど、そんなにわたしと話すのが嫌なんだろうか」

そう受け止められることだってあるのです。ではいったい、どうすればいいのでしょうか？

会話は流れていく、その流れを変えることはできます

わたしは感情的にならない話し方が、感情を抑えることだとは思っていません。

それができればたしかに感情的にならずに済むかもしれませんが、話し方としては魅力がないからです。

しかもいま書いたように、冷淡な印象、よそよそしい印象を与えてしまうことがあります。

場合によっては相手を見下した態度にも見えてしまいます。

それになんといってもむずかしいですね。会話は感情のやり取りでもあるのですから、よほど怜悧（れいり）な人間でもない限り感情を交えずに話すことはむずかしいはずです。

それよりむしろ、嬉しさや楽しさといったいい感情は素直に表し、ついうっかり相手

を傷つけたり不快にさせる言葉を吐いてしまったときには、素直に謝って訂正するという話し方のほうが自然だと思います。

なぜなら会話は流れていくからです。

相手を感情的にさせてしまったかなと思ったときに、「わたしは悪くない」とか「この人のせいだ」と考えてしまえば、悪い流れがどんどん加速されます。売り言葉に買い言葉で、おたがいに引っ込みがつかなくなってしまいます。

でも、「ごめんなさい」とか「わたしも悪かった」といったひと言を挟むだけで、その悪い流れを変えたり、勢いを静めることができます。

気がついたときに、そのつど心がけることで必要以上に感情的にならなくて済むのです。

そのとき大切なのは、自分が感情的になってしまったことを素直に認める気持ちだと思います。

「自分は正しい」「相手は間違っている」ということだけにこだわってしまうと、論理や理屈だけが優先されてしまいますが、そこでいくら相手を言い負かしたつもりになっても、相手の感情がこちらをはねつけてしまえば納得させることはできません。

たとえば極端な例を出すと、「バカじゃないの」といった言い方がありますね。「こんなこともわからないのか」という苛立ちからつい出てしまう言葉ですが、それを口にしてしまえばどんな相手だって反発します。

「どうせバカだよ」「バカで結構」という気持ちになりますから、あなたの言っていることがどんなに正しくても絶対に認める気持ちにはなれないのです。

「ちょっと言い過ぎたかな」で軌道修正を！

いまのケースで、「バカじゃないの」を口にした人間は自分の理屈や論理の正しさを確信しているはずです。「わたしは間違ってない」と信じています。

でも同時に、苛立っています。説得できない相手に対してイライラし、つい感情的になってしまったのです。

そのことを素直に認めて、相手に対して「ごめん、言い過ぎた」とか、「ひどい言い方をして申し訳なかった」と謝れば、相手もカッとならずに済むはずです。

もちろん「バカは言い過ぎだよ」と怒るかもしれませんが、話を続ける気持ちは取り戻すと思います。

親が子どもを説得するときでも、聞き分けのなさにイライラして「バカじゃないのか」とつい言いたくなるときがありますね。職場でも上司が部下に、先輩が後輩に、立場が上の人間が下の人間につい、こういった乱暴な言葉を口にしてしまうときがあります。

でも子どもだって親に対して、口にはしなくても「おやじ、バカじゃないのか」とか、「お母さんこそバカじゃないの」と思うときがあるはずです。

部下だって話の通じない上司には「バッカじゃないのか」と思うときがありますね。

いずれにしても、「自分が正しい、相手は間違えている」と思い込んだときにはすでに感情的になりかかっています。

聞くことより主張することが優先される状態です。話し方や態度が乱暴になるのはそういうときが多いのです。

そこでつい、感情的な言葉を吐いてしまったのなら、逸脱したのは自分ということですね。当然、修正するのも自分しかありません。

「あ、ひどい話し方をしてしまった」と気がついたときには、謝るしかないはずです。

実際、わたしたちは「言い過ぎたかな」と思うときがあります。

「いまの言葉はちょっときつかったかもしれない」と気がつき、感情的になった自分を恥ずかしく思うことがあります。


少しでもそういう気持ちになったとき、「いまのはちょっと言い過ぎたね」「気に障ったら謝ります」とフォローできる人なら、そこで感情的になっている自分を鎮めることができます。

相手の話を聞こうという気持ちにもなります。

感情的にならない話し方の基本は、すぐに軌道修正する態度になってくるはずです。

いつもリラックスして話せる人がいい

ここでちょっと、あなたの周りの人を思い出してください。

「この人とは話しやすい」とか「この人とはいつもリラックスして話せる」と感じている相手がきっといると思います。

たとえ上司や、立場が上の人間であっても、感情的にならずに話せる相手のことです。

そういう相手が、いつも丁寧であったり物腰がやわらかい人とは限りませんね。論理的で、感情を表に出さない人とも限らないはずです。

ときどきムチャクチャなことも言うけれど、こちらが反論すればちゃんと聞いてくれます。

あるいはこちらが相手の言葉に反発して感情的になりかかったときでも、「説明が足りなかったね」とか「責めているわけじゃないんだ」といった言葉で雰囲気を和らげてくれます。

「課長は言うときにははっきり言うけど、力で押してくる人じゃない」

「チーフは言葉は乱暴だけど、こちらの気持ちはくんでくれる」

そんなイメージがあります。ざっくばらんで、「話せばわかってくれる人」「自分の意見に固執しない人」というイメージです。

そういう人が相手なら、たとえ上司や目上の人間であってもリラックスして話せます。感情的になったとしても、すぐに切り替えることができます。とにかくムリしなくていいのです。

逆のケースはどうでしょうか。

たとえば「あの人と話すときにはどうしても身構えてしまう」と思うような相手もいますね。

「うっかりしたことを言うとすぐにキレる」とか「理詰めでくるから気が抜けない」と感じている相手です。全然、リラックスできません。

そういうときにはこちらも緊張していますから、気持ちに余裕がありません。少しのことで感情的になりやすい状態になっています。

すると案の定というか、やってしまいますね。相手のちょっとした言葉にカッとなったり、緊張感から次第にイライラしてきて自分で乱暴な言葉を吐いてしまいます。

「あーあ、またやってしまった。いつもこうなってしまう」と苦い気持ちになるのですが、「だいたい、あの話し方が気に食わない」という結論しか出てきません。

「感情的にならない」とは相手を「感情的にさせない」こと

ここまでの内容を整理してみます。

わたしは感情的にならない話し方について、自分が感情的にならないことと同時に、相手を感情的にさせないことがとても大切だと思っています。

もちろん、こちらがどんなに注意してもすぐに感情的になってしまう相手もいます。モンスターと呼ばれる人、何かにつけてクレームをつけてくる人、最初からケンカ腰の人など、とにかく手に負えない人はどこにでもいるものです。

そういった特殊なケースは別として（これはこれで後半の章で考えてみます）、ほとんどの場合、会話が感情的になるのはどちらか一方だけのせいとは言えないことが多いのです。だとすれば、相手を感情的にさせないようにする気持ちになることは、自分が感情的にならないためにも大切な心構えと言えるはずです。

そのとき大事なのは、自分が正しいという思い込みを捨てること、聞く気持ちを忘れないということですね。これはすべてのコミュニケーションの基本といってもいいはずで、とても大切なことだと思います。

どんな人間でも、自分の意見や考えをきちんと聞いてもらえば感情的にはなりません。つい感情的になったときでも、話を聞いてもらえばだんだん落ち着いてきます。

ところが、自分は正しい、相手は間違っているという思い込みにつかまってしまうと、相手の言葉を遮ってでも自分の主張を通そうとしてしまいます。そのこと自体がすでに感情的な話し方なのですが、正しいと思い込んでいると自分が感情的になっていることにもなかなか気がつかないのです。そういうときですね、「気に障ったら許してください」とか、「ちょっと言い過ぎたかもしれない」といった言葉でワンクッション置くのは。そこではじめて、相手の話を聞く気持ちが生まれてきます。

相手もこちらが一歩引き下がることで、争う気持ちは小さくなります。少なくとも、「負けるもんか」とか「黙っていられない」といった対抗心は収まります。

そこからですね。おたがいに感情的にならない話し方を心がけるようになるのは。

ゆっくり話そう、心を広くして話そう

心理学の言葉に「認知的成熟度」というものがあります。認知というのは、会話でいえば相手の言葉を判断したり解釈したりすることですが、認知的成熟度の高い人ほど、多様性を受け入れることができます。

「そういう考え方もたしかにあるな」とか、「この人の意見には反対だけど、着眼は面白いと思う」とか、賛成か反対かというふうに白黒どちらかの決着をつけずにグレーはグレーのままで受け入れることのできる人が、認知的成熟度の高い人ということができます。

『感情的にならない本』の中で、わたしは「曖昧さ耐性」という言葉を使いましたが、これも認知的成熟度のひとつの目安となってきます。

自分は正しい、相手は間違っているという決めつけをしないで、妥協点を見出して折

り合おうという態度が感情的にならないためには大切だからです。

そのために必要なのは、言うまでもなく相手の話を聞くことですね。「聞いてしまえば負け」という考え方ではなく、「聞くときには聞く、言うときには言う」という気持ちにならなければおたがいに感情的な言葉をぶつけ合うだけになります。

そこで、話すときにはまず、できるだけゆっくり話すことを心がけてみましょう。

わたしたちは、自分が正しい、自分の意見を通さなくちゃと思えばどうしても声は高くなり（わたしはもともと高いのが悩みなのですが）、話し方も速くなります。聞くことより言うことを優先させようとします。するとますます感情的になってきます。相手の話を聞く余裕なんかなくなります。

そういうときでも、ゆっくり話すことさえ心がければ声も穏やかになります（これは声の高いわたしが経験で身につけたテクニックです）。不用意な言葉を吐いて相手を傷つけることもなくなります。

こちらが穏やかな声で、ゆっくりと話せば、相手も少しは落ち着きます。自分の意見を大きな声でまくし立てることもなくなるはずです。会話は呼応しますから、相手が静かに話しているのに自分だけ大きな声を出していると恥ずかしくなりますね。

ゆっくり話しておたがいに気持ちが落ち着いてくると、たとえば目の前のコーヒーを飲んでみたり、飲み物がなかったら「一息入れようか」と声をかけてみたり、とにかく気持ちの余裕が生まれてくるはずです。

すると、おたがいに「ちゃんと話し合おう」というムードになります。認知的成熟度が高まってくるのです。大人同士の会話はそれからでも遅くはありません。

この章ではまず、会話が感情のやり取りであること、したがってどちらが悪いといった考え方をしている限り、どうしても感情的な話し方になってしまうことを説明しました。いわば、話し方の技法を学ぶ前に大切な心構えを説明したことになります。次章以下では、さまざまなケースでどういった話し方をすればいいのか考えてみましょう。

第2章

やわらかく、はっきりと伝える話し方

嫌いになると、その人のすべてが嫌いになる

感情的になってくると、相手への怒りがこみ上げます。「こんなやつ」とか「許さないぞ」といった気持ちがどんどん強くなります。それから、相手が心の底から嫌いになります。もう、大嫌いだという気持ちになります。

ふだんから嫌いな相手ならともかく、いつもはふつうにつき合っている人、あるいは親しい人、好きな人でも、怒りの感情に包まれてしまうとそれまでの好意や愛情が憎悪に変わってしまうことさえあります。そういうときの自分の感情を思い出してみると、「何もかも嫌い」になっていないでしょうか?

いつもだったら気にならない言葉がカチンときたり、軽い冗談がものすごい嫌味に聞こえたり、ほめられてもバカにされているように感じたり、とにかく相手の言葉のすべてに悪意があるように感じてしまいます。

これは、怒りで心が狭くなっている状態です。感情的になると、ふだんなら素直に受け止めたり、「そういう考えもあるな」と納得できるようなことでも、最初から反発してしまいます。あるいは正しい主張をされても難癖をつけて反論したり、好意的な言葉をかけられても裏の意味を勘ぐったりします。とにかく素直になれないのです。

実際、怒りの感情につかまってしまうとつい出てくる言葉があります。

「どうせ○○だと思ってるんだろう！」

「言い訳なんか聞きたくない！」

「もう騙されないぞ！」

そんな言葉です。言葉にはしなくても、心の中で毒づいてしまいます。相手がどんなことを話しても、その通りには受け止められなくなっています。

でもその理由が、怒りで相手を嫌いになっていることだとすれば、みなさんにも気がついてもらいたいのです。好き嫌いの感情を持ち込むと、どういう相手であっても感情的になりやすいということ、とくに嫌いな相手に対しては、最初から感情的な話し方をしてしまいがちだということです。

「言ったじゃないか」「そうは言ってないよ」の食い違い

それから、相手のちょっとした言葉にも過敏に反応します。

たとえばあなたの要求に対して、「それは少し欲張りじゃないかな」と相手が答えたとします。

その瞬間、あなたはカチンときます。

「わたしが欲張りだって？」と内心で反発します。

話し合いをしているときには我慢しますが、意見が合わなくてだんだん感情的になってくると自分を欲張りと呼んだ相手に対して怒りがこみ上げてきます。

「わたしを欲張りだって言ったね」と相手を攻撃してしまいます。

もちろん相手も反論するでしょう。

「そうは言ってないよ！」

「言ったじゃないか！」

よくある展開ですね。実際は、相手はあなたの要求が「少し欲張り」だと指摘しただけです。あなたの人格が非難されたわけではありません。

でもあなたにとっては「欲張り」という言葉がすべてになります。「よくもそんなひどいことを！」という怒りでいっぱいになっています。

なぜそんな受け止め方になったかといえば、あなたがすでに感情的になっていたからですね。

「こんなやつ」とか「この人の言うことなんか」といった反感や嫌悪感が高まっていたから、相手の言葉にも過敏に反応してしまいます。

実際、わたしたちは親しい人や好きな人に言われても何とも思わないのに、同じ言葉を嫌いな人間から言われると反発することがあります。

たとえば男性は好きな女性から「バカね」と言われても怒りません。むしろ喜ぶくらいでしょう。

ところが、ふだんから気の合わない人間に「バカだな」と言われればカチンときます。「おまえなんかにバカと呼ばれる覚えはない」と思うはずです。嫌いな人間に対しては、どうしても感情的になりやすいのです。

そういった心の動きは覚えておいて損はないです。

つまらないことで感情的にならないために、そして大事な話をぶち壊しにしないためにもです。

どんな話し合いでも、そこに相手を嫌う感情があればあるほど、うまくいかないことが多いのです。

「それは間違っている」とは言えない相手に

では、好きな人と話すときには何も問題がないのでしょうか。

じつはここにも複雑な心の動きがあります。

たとえば好きな人や親しい人と話すとき、わたしたちは相手の言葉にあまり逆らいません。

「ちょっと違うんじゃないかな」と思うような意見を口にされても、「まあ、そうだね」とか「そういうことも言えるね」とひとまず同調します。

まして信頼している上司とか、自分が尊敬している相手に対しては逆らいません。「この人の言うことだったら」と全面的に納得します。

たとえ疑問を感じることがあったとしても、言われたことはそのまま受け入れてしまいます。とても従順な人間になってしまうのです。

相手は楽ですね。何を言っても頷いてくれる人間、自分の意見にいつも従ってくれる人間なら、完全に支配できます。部下でいうなら腹心の部下、あるいは自分の信奉者ということになります。

では、そういう従順な人間が少しでも自分の意見に反論したり、批判的な言葉を口にすればどう思うでしょうか。

他人に信頼される人間、尊敬される人間なのですから、ほんとうでしたら批判も反論もきちんと受け止めるはずですが、そうはならないケースがたくさんあります。「わたしに逆らうのか」とか、「いつからそんなに偉くなったんだ」といった言葉が怒りとともに吐き出されます。

好きな人や親しい人でも同じですね。

相手の考えを「それは間違っているよ」とはっきり指摘すれば、「キミは味方じゃなかったのか」とか、「あなたがそんなこと言うなんて」といった不満が返ってきます。相手が嫌っている人間をうっかりほめたりすると、「あんな人の味方をするの？」と不機嫌になります。

つまり、感情的にさせてしまうのです。

どういうことかといえば、他人に対してあまり従属的な関係を作ってしまうと、ほんの少しの反論や意見の違いだけで相手は感情的になってしまうということです。

たとえば親子の関係でも、強圧的な親ほど子どもの反抗を許さない傾向がありますが、それと同じで「間違っている」と言えない相手ほど、こちらを支配しなければ気が済まないところがあります。

当然、いつも気を遣わなければいけないのはこちらになります。

これはこれで、話していてもストレスが溜まりますし、感情的になりやすい関係でもあるのです。

沈黙で「間を置く」のは効果的

そこでまず覚えていただきたいのは、黙り込むことです。

話し方というより、向き合い方になってきますが、この方法はどんな人でも簡単に使えますし、ほとんどのケースでそれなりの効果が生まれます。なぜなら、沈黙は無言の否定になるからです。

相手が一方的に自分の考えを押しつけてきたときに、こちらが返事をしなければ会話はストップします。それによって、感情がエスカレートすることだけはなくなります。短い時間でも、間が生まれると感情も冷めてきます。

たとえば「それは間違っている」と言えない相手であっても、納得できないときには黙り込んでいいのです。反論すればぶつかることはわかっていますし、それによってこちらも感情的になってしまいます。

でもこちらが沈黙すれば、相手は感情的になっている自分に気がつきます。「ちょっと言い過ぎたかな」とか、「強引過ぎたかな」と反省するかもしれません。

もちろん、通用しない相手もいるでしょう。「なぜ黙っているんだ！」とか、「わたしが間違っているの!?」と勝手に怒りだす人だっているでしょう。そういう相手はもう、放っておくしかありません。

でもほとんどの場合、沈黙に出合えばその意味を考えます。「どうして返事しないんだろう」と考え、考えることで感情は落ち着いてくるのです。

上司のように目上の人間が相手の場合でも、こちらが沈黙すれば「何か不満があるのか」といった言葉が返ってくるはずです。「言いたいことがあったら、はっきり言ってくれ」と促されるかもしれません。そういう展開になれば、バチバチとぶつかり合うやり取りではなくなります。沈黙を挟んでおたがいに少しでも冷静になれば、そこから先は話し方次第です。感情的なやり取りは早口での応酬になりますが、沈黙のあとはゆっくりとした話し方になります。そのとき心がけていただきたいのが、「……と思う」といった話し方になってきます。

「……と思う」というやわらかい応じ方

わたしたちは感情的になってくると断定的な話し方をしてしまいます。

相手に同意を求めるときも同じで、「……だよね」とか、「そうだろ」「違うか」といった強い口調になってきます。

するとこちらも従うか、あるいは「違う」「それは間違いだ」といった同じように強い口調で反論するしかなくなります。押し切られるように従えば不満が膨らむし、強く反論すればこんどは相手が感情的になります。断定的な話し方をすると、おたがいに感情的になりやすいのです。そこでとても平凡ですが、「わたしは……と思う」といった話し方をすればどうなるでしょうか。

断定的な口調の相手に対して、同じように断定的に応じるのではなく、あくまで自分の考え方として「……と思う」と応じます。たとえば相手が「……だろ」と自分の意見を押しつけてきたり、「……だよね」と同意を求めてきたときでも、「ちょっと違うと思うけど」とか「そうとは限らないと思うよ」「ぼくはこっちのほうがいいと思うんだけど」といった話し方です。

同じ反論でも、「思う」をつけ加えるだけでやわらかい口調になり、ワンクッション置けます。しかも「思う」はあくまで自分の考えですから、相手の言葉を否定しているわけではありません。立場を違えて想像してみましょう。

あなたが自分の考えを相手に押しつけたとします。たとえば同僚のAさんと合わないあなたが、「Aさんは自分さえよければいいんだ」と非難するようなことです。当然、相手も同調してくれるものと思い込んでいます。他人の悪口ですから、それを言える相手を選んでいます。自分の味方だと思っている同僚とか、言うことを聞く後輩です。

ところが意に反して、相手が「Aさんはそんな人じゃないよ」と答えたとします。あなたはどう感じますか？「なんだこいつ、偉そうに」とか、「Aの肩を持つのか」といった反感、あるいは自分が諭されたような屈辱感を持たないでしょうか。自分の考えがパチンと否定されたことで、悪感情がいきなり大きく膨らんでしまうのです。

「……と思う」はあくまでも一つの見方・考え方の提示

そういう場合でも、「……と思う」ならまだ余裕を持って聞くことができます。

「Aさんはそんな人じゃないと思うけど」と言われれば、「Aのことはよく知らないんだな」と受け止めるからです。あるいは「Aにひどい目に遭わされたことがないんだな」と受け止めるかもしれません。

すると、「きみはそう思うかもしれないけど、わたしは結構、ひどい目に遭っているからね」と説明する気持ちになってきます。相手が「……と思う」という話し方なら、それはそれで話し合える余地があるからです。

じつはわたし自身、誰かと話していて「いまの意見はちょっと強引過ぎたかな」と感じることがあります。自分では正しいと信じていることでも、相手の意見とあまりに違っていたり、断定的な話し方になってしまったときです。

そういうときには、「……と思うんですけど」とつけ加えます。話し終わった後でも、「わたしはそう思うんです」と補足するようにします。これは、自分の意見が絶対だとは思っていないからです。どんな人にもそれぞれの考え方があって、わたしにはわたしの考え方があるというだけのことですから、あくまで私見、一意見ですね。

でもいろいろな意見があっていいし、それをぶつけ合ってもいいはずです。「……と思う」に対して、「いや、……だと思うよ」と応じることで、おたがいに考えていることがわかってくるのですから、「ああ、そうか。この人とわたしでは立場が全然違うんだ」と気がつくこともできます。それによって、感情的にならずに済むのです。

そういう意味では、「……と思う」という話し方は一歩退いた話し方ということもできます。「強く出過ぎたかな」と感じたときには、つけ足しになっても構いませんからぜひ試してみてください。

たとえばこちらの意見を相手が不機嫌な顔で聞いているとき。「面白くないみたいだな」と感じたら、話した後でひと言、「と思うんだけど」とつけ加えるだけで空気はやわらかくなります。「あくまでわたしの考えです」というフォローになるからです。

「それだけかなあ」といろいろな見方に気づかせる話し方

感情的になってくると、どうしても自分の考えに固執してしまいます。

「そうとしか思えない」とか「こうに決まっている」といった見方になります。

そういう相手に対して、「違うよ」とか「考え過ぎだよ」と説得してもほとんど聞いてくれません。「どこが違うんだ！」と怒りだす人さえいます。

でも、ここでもワンクッション置いて説得する方法はあります。たとえば「それだけかなあ」とか、「それもあるだろうけど」といった話し方です。

こういった話し方は、べつに相手の考えを否定しているわけではありません。「たしかにそういうことは言えるかもしれない」と認めたうえで、「でもほかにも可能性があるよ」と言っているのですから、相手だってカッとならずに済みます。

自分の考えに固執しているときは、ほかの可能性が見えなくなっています。「絶対、こうだ」と思い込んでいますから、それが他人への恨みや憎悪を生み出してしまうときもあります。

そういう状態になった相手を咎めたり、説得しようとすると、今度はこちらに怒りが向かってきます。「こいつも敵だ」となってしまうのです。ほとんど手がつけられません。

だとすれば、まず落ち着かせることが先決ですね。いろいろな可能性があることを思い出させる必要があります。

もちろん相手によってはむずかしいです。「それだけかなあ」とやわらかく説得しても「ほかに何があるんだ！」と余計に感情的になるかもしれません。

そんなときでも、「こういうことだって考えられるよ」といくつかの可能性を挙げていけば、相手だって少しは落ち着きます。「そうかもしれないけど」と思うだけでも効果はあるのです。

ここまでに3つの話し方を挙げました。

◉沈黙で間を作ること。

◉「……と思う」で自分の考え方を提示すること。

◉「それだけかなあ」でいろいろな可能性に気づかせること。

どれも相手の感情的な思い込みをやわらかく解きほぐす話し方ですが、こういった話し方で言葉のやり取りがスローダウンします。ゆっくり話せるようになるのです。

考えてみれば感情的な話し方のほとんどは性急です。相手を追い込むように、考える間を与えないで決着をつけようとします。

その性急さを、いったんスローダウンさせるだけでも感情は落ち着いてきます。そのための簡単な方法がこの3つの話し方になります。

「べつにこの人が嫌いなわけじゃない」と気づこう

この章の最初に「嫌いになってくるとその人のすべてが嫌いになる」と書きました。

怒りの感情がこみ上げてくると、それまではとくに好きでも嫌いでもなかった人が大嫌いになり、好きだったはずの人まで嫌いになります。

些細なことで友人とケンカして仲たがいした経験はたいていの人が持っていると思いますが、「なんであんなやつと友だちになったんだ」と思うくらい嫌いになってしまいます。

すべて、感情的になったことが原因です。

話しているうちに意見がぶつかってしまった。

おたがい、一歩も引かずに自分の意見を主張しているうちにだんだん怒りがこみ上げてきた。

するとと相手の何もかもが嫌いになってきた。「もともと嫌なところがあったんだ」「いままで我慢してつき合ってきたんだ」と思うようになり、憎悪の感情に塗りつぶされてしまった。

そういう流れです。冷静に考えれば、気の合うところもあり、好きなところや長所もあった相手なのに、嫌いになってしまえばすべて忘れます。

でも、わたしたちには本来、相手の何もかも嫌いという人間関係はありません。もしあったらそういう相手とはつき合わないのですから、ケンカにもならないはずです。

したがってほとんどの人間関係は「とくに嫌いではない」相手との関係です。

そこにはもちろん濃淡があって、「すごく好き」から「どちらかといえば嫌い」とか「あまり好きじゃない」まで、ゾーンは広がっています。とにかく「心の底から嫌い」という相手はいないはずなのです。

にもかかわらず、最初にも書いたように怒りの感情に満たされると、好きな人さえ「心の底から嫌い」な相手になってしまいます。

これはすごく不幸な人間関係ですね。敵でも味方でもない人たちをすべて敵にするだけでなく、味方まで敵にしてしまうのです。

その原因が、小さなきっかけから膨らんでしまった怒りの感情だとしたら、こんなバカバカしいことはありません。膨らむ前に静める、そのためにもここまでに挙げた3つの話し方を身につけたほうがいいのです。

そのとき、ぜひ試みていただきたいことがあります。

相手が、あるいは自分が感情的になりかかってきたときには、「わたしはべつにこの人を嫌っていたわけじゃない」と思い出すことです。

「ちょっと意見が違うみたいだけど、べつにこの人が嫌いではないんだ」と気がつけば、怒りもスッと引いていくからです。

話し合うのは相手を好きになるためです

人間関係の理想は言いたいことを言い合える仲です。

これはさまざまな関係すべてを含みます。相手が上司だろうが親だろうが、あるいは夫や妻だろうが、同僚だろうが友人だろうがすべてです。

もちろんそこには礼儀がなければいけません。プロローグでも書いたように、絶対に守らなければいけないルールもあります。

でもわたしは、そういった礼儀やルールさえきちんと守れば、周囲の誰に対しても言いたいことを言える関係を築くのはそれほどむずかしくないと思っています。

たとえば上司で考えてみましょう。

ふつう、部下にとって上司の指示や命令は絶対です。

不満があっても従わなければいけないケースはいくらでもあります。それが組織のルールです。

でも一対一の関係の中で、疑問に思ったことや素直に頷けないこと、あるいは対案を出せるときには「わたしは……と思うんですけど」といった言い方は決してルール違反ではありません。それでも押し切られたら諦めるしかありません。

上司だって、「キミの言いたいことはわかるけど、わたしにも立場があるんだ」という気持ちになることがあります。でも、そう思ってもらえる関係のほうがいいはずです。「彼は（彼女は）意見があればはっきり口にしてくれる」と思える部下のほうが、自分の考えもきちんと説明できます。

部下だって、それほどストレスは感じないはずです。最終的には上司の指示に従うしかないとしても、自分の意見をはっきりと口にすることができるからです。しかもそれを受け止めてくれる上司に対しては、信頼感が生まれます。

つまり、思ったことを口にできる、言いたいことを言い合えるというのは、相手を嫌うためではなく好きになるためなのです。そう考えれば、この章で説明した話し方も自然にできるようになるはずです。

「好かれよう」とするから怒りが溜まるのです

逆に言えば、わたしたちが相手に怒りを覚えたり、嫌ってしまう感情が生まれるのは自分を抑えているときです。

「嫌われたくない」とか「好かれたい」「愛されたい」と考えて相手の言いなりになっていると、次第に不満が膨らんできてどこかで爆発します。

そうなったときにはもう、相手を心底嫌いになっています。怒りの感情もピークに達しています。ほんとうの憎しみ合いにまで発展するケンカというのは、それまで仲がよかった人、少なくともうわべはうまくつき合っていた人との間で起こることが多いのです。その点、ふだんから言いたいことを言い合える関係は楽です。

不満は小さなうちに消すことができます。自分の気持ちも相手に届くし、相手の気持ちもこちらに届いています。

ときどき口論になったり小さな仲たがいも生まれるでしょうが、憎み合うまではいきません。「彼はああいうやつだから」とか、「彼女も頑固だから」といった、どこかで相手を認める気持ちがあるのです。

実際、会えばケンカばかりしている2人が、そのわりに相手を認めている関係というのがありますね。その理由は、言いたいことを言い合っているからストレスも溜まらないし、しかもおたがいにルールだけは守っているからでしょう。個人攻撃とか人格攻撃はしないといったことです。

こういう関係は、相手の悪口を言うこともありません。誰かが「Aさんってひどいね」と同調を求めても、「あら、AさんはAさんでいいところもあるのよ」とほめたりします。ちょっと不思議だけど、すごくいい関係なのです。

どうせならそんな関係を周囲に築いてみましょう。

そのためにも、自分の考えをやわらかく、でもはっきりと伝える話し方を試みてください。

第3章

「知らない」と無視せず「教えて」と呼びかけよう

なぜあの人がいると楽しくなるのか

ふだんのおしゃべりでもいいし、食事会でも飲み会でもいいです。何人かが集まる席で、みんなの気持ちをほぐしたり、上手に盛り上げてくれる人がいます。「Aさんがいると楽しくなる」とか「Bさんが来るんだったらわたしも顔出そう」と思わせるような人です。そういう人の話し方を見ていると、いくつか気がつくことがあります。

まず、誰も無視しないということです。4人で集まれば、自分以外の3人に対して平等に向き合います。特定の誰かとだけ話すことはないし、話題に入れなくてポツンと浮いている人がいると声をかけて上手に誘い込みます。これは、その場にいるみんなに気配りしているからですが、一対一のときも同じです。

自分の意見や価値観を相手に押しつけたりしません。もちろん意見は意見ではっきり言いますが、そのぶん相手の意見にも耳を傾けます。一方的な話し方はしないのです。

会話って、弾みがあると楽しいです。ポンポンと言葉のやり取りがあって、「うん、うん」と頷きあって、そこからまた新しい話題やプランが飛び出して、気分がワクワクしてくるような会話。そういう会話のできる人となら、誰でもおしゃべりしたいなと思いますね。

したがって、いつも肯定的です。こちらが持ち出した話題に対して「面白そう！」とか「わたしもやってみたいな」「それでどうなったの？」といった話し方をします。どんな話題でも、その人なら楽しそうにつき合ってくれるのです。「あの人だったら、わたしの話でも面白そうに聞いてくれる」と思える人は、こちらのどんな話に対しても肯定的に向き合ってくれる人なのです。

もちろん、朗らかです。いつも機嫌がよくて、一緒にいるだけでその人の機嫌のよさがこちらにも伝わってくるような気がします。

さあ、たくさん挙げてしまいました。その場のみんなに気配りができて、相手の意見に耳を傾けて、弾むような会話ができて、いつも肯定的で機嫌のいい人。とても真似できませんね。というより、こういう人はめったにいないはずです。

相手の気持ちを弾ませる話し方

でも、技術としての話し方をマスターすることはできます。

いつも機嫌のいい人になるのはむずかしくても、あるいは気配りが行き届かなくても、「こういう話し方をしてみよう」と心がけることはできるはずです。

それによって、一対一で向き合っている相手の気持ちが弾んでくれれば会話の雰囲気も明るくなります。

悪い感情は消えてしまい、明るい感情に満たされて話すことができます。そういう話し方のコツをまずつかんでみましょう。

ポイントは相手の話に興味を示すことです。これだって話題によってはむずかしいときもあるでしょうが、少なくとも無視しないで最後まで聞いてあげるつもりになってください。

自分の話を聞いてもらうと、誰でも嬉しくなります。その人が興味を持って聞いてくれればくれるほど、嬉しくなります。

でも、つまらなそうな顔をされたり、すぐに話題を変えられたりすると、今度は相手の話を聞く気持ちがなくなってしまいます。「無視されたから無視しよう」という気分になります。

この本では最初から〝言葉のやり取りは感情のやり取り〟と説明してきました。どちらかに悪い感情が生まれれば、その悪い感情がやり取りされます。こちらが機嫌よくても、相手が不機嫌な顔をしているとだんだん不快になってきます。「せっかく楽しい気分でいたのに」と思うときだってあります。

逆にこちらが元気のないときでも、朗らかな相手と話しているうちにだんだん元気が出てきます。

つまり、その場にいい感情が生まれる話し方を心がけるだけで、言葉のやり取りも楽しくて弾んだものとなってきます。

「あの人が来るんだったらわたしも顔出そう」と思わせるような人は、誰に対しても、いい感情が生まれるような話し方のできる人なのです。


そのポイントを、「興味を示すこと」と書きました。

ただし「むずかしいときもある」と書きました。

興味のない話をいつまでも続けられても困るからです。「話題を変えたいな」と思うときだってあります。

そういうときは遠慮しないで、「話は変わるけど」と切り出していいでしょう。低いハードルでいいですから、まず「無視しない」ことだけ心がけてください。

「知らない」と切ってしまえば話もプツンと切れる

いちばん注意したいのは、「知らない」という言い方です。

たとえば相手が「○○って映画、面白そうなんだけど？」と尋ねてきたときです。「△△のランチって美味しいのかしら？」とか「ラグビーが人気だけど、一度でいいから試合を観たいね」とか、話のきっかけを相手が作ってくれるときがあります。

そういうとき、映画にもランチにもラグビーにも興味のないあなたが、つい「知らない」と答えてしまうとどうなるでしょうか。

話はそこでプツンと切れてしまいます。

相手にしてみれば、軽い気持ちで話題を提供しただけかもしれないし、あるいはそこからいろいろ話したいことがあったのかもしれません。

でも、「知らない」と言われたらすべて終わってしまいます。

中には「せっかく話しかけているのに」とムッとする人だっているでしょう。じつは最近、ラグビーに夢中になっている相手だとすれば、「エーッ？　ラグビー人気も知らないのか！」と呆れるかもしれません。

するとあなたも、「知らないものは知らないよ！」と意地を張ってしまいます。たちまち感情的になってしまうのです。

相手にしてみれば、「いくら興味がなくても、言い方ってあるだろ」という気持ちです。

「それを『知らない』って切られたら、わたしとは話したくないんだと思ってしまうじゃないか」

そう受け止める人だっているからです。

実際、わたしたちは不機嫌なときほど「知らない」という答え方をしがちです。

相手が何か話しかけてきたときでも、「そんなことどうでもいい」とか、「いまはそれどころじゃない」という気持ちになってしまい、面倒くさそうに「知らない」と答えてしまうことがあります。

これではこちらの不機嫌が相手に伝わってしまいます。悪い感情のやり取りになってしまうのです。

ほんとうに何も知らないこと、興味のないことだとしても、「ゴメン、何にも知らなくて」といったやわらかな言い方があります。

せめて、自分の悪い感情をそのままぶつけないことです。

「面白そうだね」、このひと言でいい感情が生まれる

わたしたちが他人に何かの話題を持ちかけるときには、「聞いてほしい」という気持ちがあります。「Aさんなら興味を持ってくれるかもしれない。そしたらたくさん話したいことがある」そんな気持ちになっています。

いきなりその話題を長く続けても相手は困るかもしれない、でも少し話してみて、興味を持ってくれたらどんどん話してみたい、そんな気持ちでいることが多いのです。

その一方で、「つまらなそうな顔されたらどうしようかな」という不安もあります。なかには相手の興味や関心なんかまったく無視して、自分の話したいことだけ話し続ける人もいますが、ほとんどの人はそこまで図々しくなれません。

したがって、とりあえず相手が聞いてくれそうな返事をしただけでホッとします。あとはどこまで話せるか、それは雰囲気次第です。

聞き上手の人は、この雰囲気を作るのが上手です。「へーえ?」とか「それでどうなったの?」と相手の話を引き出してくれます。でも、そこまで聞き上手でなくてもいいのです。まず、「聞いてくれるかな」という相手の不安を取り除くこと、それだけでもずいぶん違います。さっき悪い例で挙げた「知らない」は、一発で拒絶ですからほとんどの相手は突き放された気分になります。「この人と、話すことなんかない」という気持ちになってしまいます。

でも、持ちかけた話題を「うん、うん」と頷いてくれたり、「面白そうだね」と応じてもらえると、それだけで安心します。「聞いてもらえそうだから話してみようかな」という気持ちになれます。相手にいい感情が生まれるのです。

たったそれだけの効果しかなくても、会話の雰囲気はずいぶん違ってきますね。相手が楽しそうに話すことをあなたはニコニコしながら聞いているだけでいいのです。あまり興味のない話題だとしても、相手が楽しそうならあなただって悪い感情は生まれてきません。一通りその話が終わったら、今度は自分の話題を持ち出せば相手も機嫌よく応じてくれるはずです。

「どうせ……」のひと言で雰囲気が悪くなる

みんなの話に合わせるとか、相手が持ち出した話題に合わせるというのは、結構、むずかしい技術です。

こちらが「いい人」にならなければいけないし、「いつも合わせてばかりいる」という不満も溜まってきます。

わたしはそういうことまで勧めようとは思いません。

ただ、不用意な話し方ひとつで、その場に嫌な雰囲気が生まれたり、相手に悪い感情が生まれてしまうことがあります。

自分が感情的にならないためには、それだけは避けたほうがいいのです。

したがって、こういう話し方はしないほうがいいと思うもう1つの例を挙げてみます。

会話の流れで、「……してみようか」とか「やってみない？」といった誘いの言葉が飛び出すときがあります。

こちらから声をかけるときもあれば、相手が声をかけてくれるときもあります。

そのとき、声をかけるほうは気持ちが弾んでいますね。

たとえばラーメンの好きなあなたがネットで評判のラーメン店を見つけて、「近いから昼休みでも行けそうだ、Aさんもラーメン好きだから誘ってみよう」と考えてAさんに声をかけたとします。

「行列に1人で並ぶの嫌だし、Aさんなら乗ってくるだろう」という期待感があります。ところがAさんは、「ネットの評判でしょ、どうせ大したことないわよ」と素っ気ない返事です。あなたはどんな気がしますか？

何だか水を差された気分ですね。

それから自分がただのミーハーで、Aさんのほうが分別ある大人に思えてもきます。

でもやっぱり不愉快になってきます。

「どうせわたしはミーハーよ。でも、食べてみなくちゃわからないじゃないの」

そんな気持ちになるからです。おそらく会話もそこで途切れてしまうでしょう。

口では「それもそうね」とか、「そうかもしれないけど」とか、いちおうAさんの言葉に頷いたとしても、ぶつけようのない不満が残ります。

こういう例は多いのです。せっかく弾む気持ちで声をかけたのに、「どうせつまらない」とか「疲れるだけだ」と拒まれてしまうと、何だか自分が見下されたような気持ちにさえなります。悪感情が生まれて当然なのです。

相手の言葉をいったん受け止めよう

感情的にならないというのは、「つまらないことで」ならないと前置きをつけて受け止めてください。

大事なこと、譲れないこと、自分が信じていることなら、それを主張するときに大いに感情的になっていいのです。

ここまでに繰り返してきた最低限のルールさえ守れば、大人同士の関係ならちゃんと議論ができるはずです。むしろスカッとすることだってあります。

けれども、つまらないことで感情的になってしまうと、そこから先は何を話しても不快感しか生まれません。嫌味や皮肉のやり取りになったり、笑顔を装っても腹の中ではおたがいに毒づいていたりします。

いつ爆発してもおかしくない状態なのです。

「つまらないこと」の原因は相手の話し方にもありますが、こちらの話し方が相手を感情的にさせてしまうことだってあります。

この章で取り上げているのはそういうケースで、「知らない」とか「どうせ……」といった言葉は、本人は「だってそうなんだもの」と思って言ったつもりでも、相手を不機嫌にさせてしまえばやっぱり「つまらないこと」で感情的になったことになります。

それから「知らない」とか「どうせ」といった言い方は、こちらも少し不機嫌なときに出てきやすいですね。

気分が落ち込んでいるときほど、相手の無邪気そうな質問とか誘いかけが煩わしくなって、それでついこんな言い方をしてしまいます。

これだってやっぱり、つまらないことで感情的になってしまったと言えるはずです。

そこで、どういう場合でも相手が持ちかけた話題や誘いを、いったんは受け止める話し方を心がけてみましょう。

たとえば映画の話題を持ちかけられたら、「どんな映画なの？」でもいいし、「そういえば最近、映画なんて観てないなあ」でもいいです。

評判のラーメン店に誘われたら、「美味しいのかな？」でもいいし、「そんな店があったんだ」でもいいです。

「知らない」とか「どうせ」のひと言で切ってしまわないで、話が続くような言葉を返してみましょう。

それによって相手はもっと説明してくるかもしれないし、もっと誘ってくるかもしれません。

でも、自分が持ちかけた話題をとりあえず受け止めてもらえただけでも安心します。気をよくして続きの話ができるのです。

好奇心が「いい感情」を作ってくれる

その人と話しているだけで楽しい気分になってくるのは、こちらが「話したいな」とか「教えてみたいな」と思っていることをどんどん引き出してくれるからです。「今日はこの話がしたい」と思っていたことを存分に話せたときは、誰でもスッキリします。

逆に話したいと思っていたことが無視されたり、相手の話ばかり聞かされてしまうと、向き合っているのがだんだんつらくなってきます。「会うんじゃなかった」とか「さっさと切り上げたい」という気持ちになってきます。

つまり、いい感情に満たされて話ができる相手は、こちらの話に興味や関心を示してくれる人なのです。「あ、この人、話したくてウズウズしているんだな」と気がついたときに、「ちょっとつき合ってあげよう」とゆったり構えることができる人です。

感情的にならない話し方の基本は、この「ゆったり構える」ことです。

結論を急がせたり、自分の主張を押しつけたりしないで、「どんな話になるかわからないけど、まずつき合ってみよう」という、成り行きに任せる気持ちです。だってまだ、話は始まったばかりなのですから。「つき合ってみよう」という気持ちになれば、自然に相手の話を促したり、質問したり、感想を口にすることができます。「それでどうなったの」とか、「どうして？」とか「面白いなあ」といった言葉が出てきます。

そういう言葉に出合うと、話している人も嬉しいです。自分の話を相手が興味を持って聞いてくれるのですから、いい気分になってきます。

じつは、話していて楽しい人というのは好奇心の旺盛な人と言うこともできます。いろいろな話題に興味を持って、「もっと教えて」とか「わたしもやってみたいな」「今度、試してみるかな」と応じてくれるような人なら、その場の空気もどんどん弾んでくるからです。もちろん「だから好奇心を持ちましょう」と言ってもむずかしいです。興味のない話題はどうしても関心が持てません。そういう場合でも、ひとまず相手の話につき合ってみようという気持ちさえ忘れなければ、「そうだったの」とか「それから？」といった言葉は自然に出てくるはずです。

「じゃあ、ちょっと試しに」という弾みが嬉しい

誰かと話しているときに、「ちょっとやってみようか」と声をかけてしまうことがありますね。

たとえばさっきのラーメン店の話題が出たとき、「ちょうど昼休みだから、いまから食べに行ってみようか」と誘うようなことです。

そのとき相手が、「うん、じゃあ試しに」と応じてくれると、何だかワクワクしてきます。ものの弾みですから、そんなに期待はしていません。

だから食べてみてそれほど美味しくなかったとしても、2人で「ま、あんなもんでしょう」と笑い合っておしまいです。思いがけず美味しいラーメンだったら、すごく得した気分になります。

つき合って楽しい人には、会話をしていてもその場で何かが始まりそうな雰囲気があります。とにかく身軽に動いてくれるのです。

「じゃあ、試してみるかな」というのはいろいろな使い方があります。

たとえば相手が早朝のウオーキングを熱心に勧めてくれたら、「うん、朝は苦手だけど休みの日に試してみるかな」と返事するだけでいいです。

その場の軽いやり取りなのですから、たとえ休日の朝寝が健康法だと思っていてもひとまず「試してみるかな」と言うだけで相手にはいい感情が生まれます。

悪い感情につかまりやすい人は逆です。

すぐ「どうせ」と言い出して動こうとしません。自分の都合や忙しさだけを言い張って、相手の誘いを無視します。

すると、会話をしていても空気がよどんでくるような気がします。おたがいに黙り込んでしまい、少しのことで感情的になりやすくなるのです。

ちなみに感情的にならないコツとして、この「動いてみる」というのは結構、効果的です。会話が何となく煮詰まってきたときには、「コーヒーでも飲もうか」と声をかけて席を立ち、自販機で缶コーヒーを買ってくるだけでも気分が変わります。

この場合は、空気が動くからですね。

そういうときに、「コーヒーなんか要らない」とか「そんな気分じゃない」と答える人がいると、万事休すです。

「コーヒーいいね」とか、「あ、わたしは紅茶のほうがいい」と答える人なら、重苦しい雰囲気がスッと消えてしまいます。

つまり、相手の誘いには軽い気持ちで応じてみるということです。

おたがいが感情的にならないための、大切な心がけだと考えてください。

「教えてください」でハッピーな関係が生まれる

同世代の友人や知人と久しぶりに会うと、思い出話のあとは現在の仕事の話に移っていきます。じつはわたしは、この時間が楽しみなのです。

なぜなら、どういう仕事、どういう業種であれ、その現場にいる人は外部の人間の知りえない情報や知識をたくさん持っています。

しかもそういった情報や知識は、ふだん、職場の中で話題に上ることはありません。周囲のみんなが知っていること、当たり前のことだからです。

したがって、彼らが何げなく話し始めたことを、わたしが興味を持ってあれこれ聞いていると、不思議そうな顔をします。「こんな話、面白いのか」と言います。

でもわたしにしてみれば面白いのです。

「へーえ」と思うこと、「そうだったのか」と驚くことがたくさんあるからです。

すると、友人たちはみんな上機嫌になります。「こんなことまで話していいのかな」とか、「誰にも言っちゃダメだよ」と言いつつ、思いがけない話を次々に繰り出してくれます。ものすごく勉強になるのです。

そうやって楽しい時間が過ぎたあとで、「またいろいろ教えてよ」と礼を言うと、相手も「オレばかりしゃべってしまった。こんどはおまえの話が聞きたいな」とこちらの話題を催促してきます。もちろん、これも楽しい時間です。

でも、いわゆるエリートはダメな気がします。すべてのエリートとは言いませんが、自分がいちばん偉いと思っているから、相手が持ち出す話題なんか聞こうとしません。すぐに「そういうものだよ」とか「どこも同じさ」「よくあることだよ」といった、興味のなさそうな返事をします。いわゆる知ったかぶりです。

どういう相手でもいいです。

たとえば社内の人間でも部署が違ったり、立場が違ったりすると持っている知識や情報も違ってきます。出入りの業者さんだって、社内の人間が知らない情報をたくさん持っています。

あるいは友人や知人でも、趣味が違ったり境遇が違ったりします。相手のほうがはるかに知っている分野や世界があります。

もし、そういう話題が出てきたときには、いいチャンスですね。気持ちよく話してもらって、最後にひと言、「これからもいろいろ教えてください」と声をかけてみてください。

そこにきっと、ハッピーな関係が生まれます。感情的にならない話し方というのは、このハッピーな関係を作っていく話し方のことでもあるのです。

第4章

「言いたいことはわかる」と受け止める話し方

「こんなこともわからないのか」と思うときがありますか？

感情的になってしまう原因のひとつに、相手への不満があります。

しかもこの不満にはさまざまな種類があって、それだけにあらゆる場面でつい、感情的な話し方をしてしまうことがあります。

たとえば上司と話しているときには、言いたいことが言えません。

相手が強圧的に出れば出るほど、こちらは黙って従うしかないのですから、それだけで不満が膨らんできます。

部下にしてみれば、上司の指示や判断が納得できないこともあります。

「全然、わかってない」と思うことだってあるのです。

一方の上司も同じで、自分の指示や判断に不満そうな部下を見ると、「こいつは何もわかってない」と考えます。「たぶん青くさい理屈を考えているんだろうが、仕事にそんなものは通用しないんだ」と見下すでしょう。

つまり、立場は違っても目の前の相手に不満を持つときは、「こんなこともわからないのか」という苛立ちがあります。自分にはわかり切ったことなのに、相手がそれを認めようとしないときには、「なぜわからないんだ」と腹が立ってきます。

親子でも同じですね。

親が子どもにあれこれ教えたり、諭したりする場合でも、子どもがわかってくれないときにはだんだん腹が立ってきます。素直に「はい」と頷いてくれれば満足しますが、口答えされたり反抗的な態度を取られると、「どうしてこんなこともわからないんだ」と怒りがこみ上げてきます。

そういう親の態度や話し方に接していると、子どもだって面白くありません。「お母さんはぼくのことなんか少しもわかってない」とか、「お父さんの言ってることは古すぎる」と反発します。

つまり、わたしたちが感情的な話し方をしてしまうのは、自分の気持ちや考えを相手がわかってくれないときが多いのです。

しかも、自分にとっては当たり前なこと、わかり切っていることほど、それをわかってくれない相手に対して感情的になってしまいます。

そのとき、自分は「正しい」と思い込んでいないでしょうか？

「わたしは絶対に間違っていない。それをわかろうとしない相手が悪いんだ」

そんな気持ちが強ければ強いほど、つい感情的な話し方をしてしまうというのはたしかにあるはずです。

「なぜこんなこともできないんだ」という不満

自分にできることも同じです。

ここでも話をわかりやすくするために親子の例で考えてみましょう。

親にできて子どもにできないことはいくらでもあります。ありとあらゆることがそうです。

すると、「こんなこともできないのか」と腹を立てる親が出てきます。

日常習慣でも学習習慣でも、すべて同じです。

「あれだけ教えたのにまだできないのか」とか、「やればできるはずなのにズルしているだけじゃないのか」と怒りの感情がこみ上げてきます。

上司と部下の関係でも同じことが起こります。同僚や職場のスタッフに対しても、同じような不満が生まれることがあります。

「あれだけ頼んだのにやってくれない」とか、「気がついているはずなのに放置している」といった不満です。

そういった不満が話し方にも表れてきます。

「あのときちゃんと頼んだよね？」とか、「そんなに嫌ならわたしがやるよ」といった言い方です。

すると、相手もムッとします。

「わかってますよ、べつに忘れたわけじゃありません！」

「誰も嫌だなんて言ってないでしょう！」

これでもう、おたがいに感情的になってしまうのです。


でも、「こんなこともできないのか」という不満はなぜ生まれるのでしょうか？

やっぱり「できるはずだ」「できて当たり前だ」という気持ちがあるからですね。

「わざと手を抜いている」とか、「わたしに逆らっている」といった疑いさえ持ってしまいます。

でも、ほんとうにそうなのでしょうか？

相手だって、やりたくてもできない理由があったのかもしれません。苦手だったり、自分にはむずかしくて時間がかかっているのかもしれません。こちらが「できて当たり前」と思っていることが、相手にとっては少しも当たり前ではないことだってあります。

つまり、こちらの要求水準が高過ぎるのかもしれないのです。

要求水準が高い人ほど感情的になりやすい

あくまで一般論ですが、できる人はできない人に対して不満を感じます。じれったくなったり、イライラしたりします。

それから自分の考えとかやり方に自信を持っている人も同じです。

相手がそれを受け入れてくれないときや、自分と違うやり方を試そうとする人がいると、やはり不満を感じてしまいます。

いずれにしても、相手に対して「こうであってほしい」とか、「こうでなければいけない」という気持ちになりやすいのです。

その結果、自分の要求に応えてくれない相手に対して不満が強くなり、どうしても感情的になってしまいます。

たとえば学歴の高い親ほど、自分の子どもに対する要求水準も高くなります。テストの成績がクラスで1番だったと喜んでいる子どもに対して、「学年で1番じゃないと」ともっと上のレベルを要求します。

学年で1番になっても「他の学校には優秀な子がいくらでもいるぞ」とさらに上のレベルを要求します。子どもの現状になかなか満足しません。


スポーツや習い事でも同じです。野球が得意な父親は子どもに野球をやらせ、期待したほど上手にならないと「なぜこんなこともできないんだ」と不満を持ちます。

ピアノが得意な母親も、「どうしてできないの」とイライラします。

そういう親の態度に子どもも当然、不満を持ちます。「ぼくだって頑張ってるのに」と思うし、「わたしはお母さんじゃない」と反発します。

子どもに対する要求水準が高い親ほど、どうしても感情的な親子関係を作りやすくなるのです。

大人同士でもまったく同じです。
他人に対する要求水準の高い人ほど、満足したりほめたりということがありません。
不満や失望感ばかり持ってしまい、それがどうしても態度や話し方に表れます。
けれども相手だって大人なのです。人それぞれの考え方や、やり方があります。
仕事のレベルも、その人のキャリアやスキルによってまちまちです。
「わたしなりに精いっぱいやっている」というプライドもあるでしょう。
すると、「なぜこの人に見下されなくちゃいけないのか」という不満が当然のように
生まれてきます。

「そういうこともあるね」と、受け入れの間口を広げよう

したがって、感情的にならない話し方のコツは、まず相手への要求水準を下げることです。これは、期待しないとか、見くびっていいという意味ではありません。「こうでなければいけない」とか、「こうすべきだ」という思い込みを捨てましょうということです。

自分にとっては当たり前のことでも、相手にとっては少しも当たり前ではないというケースはいくらでもあります。

親子のように圧倒的な年齢差がある場合だけでなく、同じような年齢、キャリアだとしても、考え方ややり方は人によって違います。得意不得意の分野も違えば性格も違います。

だからまず、自分の間口を広げて、「それもありかな」とか、「なるほどなあ」といった、いったんはすべてを受け入れる気持ちになってみましょう。

相手が自分とまったく違う意見や感想を口にしたときでも、「そういうのもあるね」とひとまず頷いてみます。

もちろんこれは、同僚や友人、あるいは部下や後輩といった少なくとも自分と立場が同じか、上ではない人間に対しての話し方です。

親子の場合でも、子どもが中学生以上になってある程度の理解力も備わっている場合です。

「そういうのもあるね」とひとまず受け入れれば、相手は安心するはずです。

「よかった、この人ならちゃんと話ができる」と思えば、それだけでリラックスできます。

すると、こちらも感情的にならずに自分の考えを説明できます。

「わたしの考えはちょっと違うんだ」と切り出しても、相手は聞いてくれるからです。

これがもし、相手の意見を「全然違うよ！」とか「何言ってるんだ」と頭ごなしに否定してしまうと、どうなるでしょうか。

同僚や友人なら「何が違うんだ！」とたちまち反発するでしょう。口には出さなくても、「何だか威張ってるな」と反感を持ちます。

たとえ上司や先輩相手でも同じです。

自分の意見をまったく認めようとしない相手に対しては、最初から反抗的な気分になります。

言葉や態度に表さなくても、相手の意見に納得することはないはずです。

「黙って聞いていればいいんだ」と諦めているだけで、中身なんか頭に入っていかないのです。

ひとまず受け入れる、そこから話し合いが始まる

自分とは違う手順や、やり方を選ぼうとする人にも、「違う、違う！」とか「そうじゃないだろ！」といった言い方はしないで、ひとまず見守る気持ちです。「いろいろなやり方があると思うから」といった話し方で、相手に任せてみましょう。

つまり、話し方はいろいろですが、コツは「ひとまず」です。相手の意見ややり方をひとまず受け止め、そこから具体的な話に入っていくようにします。

それによって、おたがいに感情的にならずに済みます。

相手は自分の意見が否定されずに聞いてもらえたことで、「この人となら、ちゃんと話ができる」と安心します。こちらも相手が落ち着いていれば「わかってもらえるだろう」と落ち着いて話すことができます。

ひとまず受け入れる気持ちになれば、相手に対して最初から細かく指図することもなくなります。「ここはこうやって」とか「こうなったときにはこういうやり方で」といった細かい指図はするほうも疲れますし、されるほうもウンザリします。

「わかった、もういい」とか、「いちいちうるさいなあ」という気分ですから、話を打ち切りたくなります。「はいはい」と面倒くさそうな返事をついしてしまいます。

するとこちらも、「ちゃんと聞いてるのか」とか、「ほんとにわかったのか」と念を押したくなりますね。親子の会話によくあるパターンですが、おたがいにだんだん感情的になってしまうのです。

相手のやり方をひとまず受け入れる気持ちになれば、話し方もずいぶん違ってきます。仕事の場合でしたら、期限だけを説明して、あとは相手が質問してきたことに答えるだけでいいのですから、言葉のやり取りも冷静になってきます。

でも、こういった説明を読んでも不満を感じる人がきっといると思います。

「わたしはそこまで相手任せにはできない」とか、「かえって無責任じゃないか」と考らいたい」と考える人です。

「嫌われてもいいし、うるさがられてもいいから、ちゃんとわたしのやり方でやってもらいたい」と考える人です。

そういう人に、ひと言だけアドバイスします。

あえて要求水準を下げて、できたらラッキーと考えることは許されないでしょうか？

「どういうやり方でもいいから、頼んだことがやってもらえたらラッキーと思おう」

もしそう考えることができれば、感情的にならない話し方もすぐにマスターできるはずです。

「ともかくやってみよう」と励ます話し方

最初にも書きましたが、できる人はどうしても他人への要求水準が高くなります。

でも、そうでない人も大勢います。おおらかとか寛容、心が広いといった言葉が当てはまりそうですが、それだけではありません。

なぜなら、できる人だって何もかもできるわけではありません。苦手なこともあるし、いまはできても以前はできなかったことがあります。「わたしだってダメなときがあった」とか、「できないことだってある」とあっさり認める人は、他人に対する要求水準もそれほど高くないのです。

たとえば親が子どもを「そんなこともできないの」と叱るときには、自分が子どものころはどうだったかを忘れています。「そういえば、わたしもこれくらいのときは何にもできなかったな」とは考えないのです。

仕事でも同じですね。

できる人ができない人に不満を持つときは、自分にもできない時期があったことや、いまでも苦手なこと、不得意な分野があることを忘れています。

そういうことを思い出せば、「できなくても仕方ないな」という気持ちになります。

もちろん、できてほしいし、そうなったほうがおたがいに嬉しいです。だから、励ますような話し方が大切になってきます。「ともかくやってみよう」とか、「困ったときには手を貸すから」といった話し方です。

「できなくても気にすることないよ」

「いきなりうまくいくなんて、めったにないんだから」

そんな言葉をかけられると、相手もリラックスします。むしろ逆に、「よーし、やってみせる」という気持ちになるかもしれません。おたがい、いい感情に満たされるのです。相手への要求水準を下げれば、そういった心の余裕が生まれるということはぜひ気がついてください。「やればできる」という押しつけではなく、「できるところまでやってみよう」という励ましのほうが、むしろいい結果につながることが多いのです。

「言いたいことはわかるよ」と受け止めよう

「こんなこともわからないのか」という不満も同じです。

「考えなくてもわかりそうなものじゃないか」と腹を立てたところで、自分だって何もわからない時期があり、あるいは相手の考えに納得できない時期があったのです。

それはいまでも同じで、立場が違えば相手の考えを受け入れられないときはいくらでもあります。

したがって、自分の意見が相手にわかってもらえないとか、相手の考えがまったく納得できないというケースはあって当然ですし、少しも腹を立てるようなことではないはずです。

それを「こんなこともわからないのか」と突き放してしまうと、意見の違いというより他人への攻撃になってしまいます。

わかる、わからないではなく、納得できるかできないかの違いなのですから、話し合いはできるはずなのです。

だとすれば、まず相手の言っていることは「わかる」という気持ちを伝えましょう。

何を言いたいのか、それはわかるという気持ちです。


たとえば上司と部下が向き合っているときです。

上司の指示や判断に対して、部下が自分の考えを述べたとします。上司は当然、そんなものを受け入れるつもりはありません。

ただそこで、「何を言ってるんだ」とか、「わたしの言ってることがわからないのか」といった話し方をしてしまうと、部下は「これじゃ話にならないな」と思うはずです。

立場上、反論があっても控え目な言い方しかしなかったのに、それすら相手は聞いてくれないからです。

けれども、「キミの言ってることはわかる」という返事があれば違います。

「言いたいことはわかるよ」といった言葉のあとで、「でもいまの状況ではむずかしいんだ」という補足があるだけで、部下は納得します。

少なくとも、自分の考えはちゃんと理解してもらえたと思うことで感情的にならずに済むはずです。


この話し方は、応用範囲が広いです。

たとえば部下が上司に反論する場合でも、ひとまず「おっしゃることはわかります」と頷き、それから自分の意見を述べるだけでもずいぶんやわらかい話し方になってきます。上司だっていきなり反論されるより、メンツは保たれますからそれほど感情的にはならないでしょう。

親子や夫婦でも同じで、相手の言葉にひとまず「言いたいことはわかるよ」と応じるだけで、いきなりぶつかることもなくなります。

実際、納得できるかどうかは別として、わたしたちはどんな相手のどんな意見でも、何を言いたいのかは理解できるのです。

「任せるよ」は懐の深い話し方

他人への要求水準が高い人は、レベルだけでなくやり方にもこだわる傾向があります。

これも結局は、自分に自信があるからです。自分のやり方が一番だと思っているし、そのやり方でなければレベルの高い結果は出せないと信じ込んでいます。

でも、ここでも要求水準を下げて、「できたらラッキー」と思えるようになるとずいぶん違ってきます。やり方へのこだわりがなくなるからです。


わたしたちは他人に何かを頼まれたときに、やり方がわからなければ当然、尋ねます。

「ちょっと教えてください」と言って、基本的なやり方を習います。

でも、「あ、これならできるな」と思うときは何も質問しません。「自分のやり方でやってみよう」と思うからです。

それから何かを頼まれて引き受けたときには、仕事であれ家事であれ、それをやり遂げることが自分の役割になります。

「わたしの仕事なんだから、ちゃんとやろう」と思います。

そういうときに嬉しいのは、「任せたよ」という相手の言葉です。思わず「オーケー！」と弾んだ声が出ます。

もちろん、任せるためには相手を信頼しなければいけません。任せられない相手には任せないはずです。

したがって、「任せるよ」という言葉は相手の信頼感の表れと受け止めていいはずです。これはこれで、とても嬉しいことです。

話し方として「任せるよ」とか、「お任せします」といった言葉は、たったひと言でもその場にいい区切りを作ってくれる効果があります。

そのかわり注意しなければいけないことがあります。

いい結果が出なかったときでも、任せたほうは文句を言えないということです。

「キミを信頼して任せたんじゃないか」とか、「こんなことなら任せるんじゃなかった」という言葉は、せっかくの信頼感をぶち壊しにするだけでなく、任せた側の無責任さを示す言葉になるからです。

任せるからには、結果も含めてすべて任せるということです。失敗しても「しょうがないよ」と納得するということです。

それができる人は、相手に対する要求水準が高過ぎないということですね。相手のやり方を受け入れ、結果に対してもそれほどこだわらない人です。

そのかわり、育てていこうという気持ちがあります。

一度や二度の失敗で自信をなくさせるのでなく、何度でも挑戦してほしいという気持ちがあります。だから「任せるよ」と言えるのです。懐の深い話し方です。

「よくやっていると思う」という いたわりの言葉を忘れないこと

感情的にならないためには、自分の中にいろいろな思いがあるとしても、まず目の前の相手をいたわる言葉から始めてみてください。

とても平凡な言い方ですが、「お疲れさま」とか、「ご苦労さま」といった言葉がありますね。職場で仕事の経過を聞いたり、ミスをした部下と向き合うときに、いきなり本題に入るのでなく、まず「お疲れさま」のひと言を口にしてみましょう。

仕事は結果がすべてという考え方もありますが、結果が出せなかった人間にとってはプロセスがすべてになります。

「わたしなりに頑張ったけど」とか、「まさかこういう展開になるとは」といった、プロセスに対するさまざまな気持ちが複雑に絡み合っているからです。でも、結果が出せなかったときにはそれを言い出せません。言えば弁解から始めることになるからです。

かといって、いきなり責められればやはり感情的になります。ミスや結果を出せなかったことの原因追及をされても、冷静な話はなかなかできません。でも、ほんのひと言でもいいから最初にいたわりの言葉をかけられるとずいぶん違ってきます。

たとえば上司が目の前で意気消沈している部下に、「きみはよくやっていると思う」といった言葉をかけると、それだけで部下はプロセスにも目を向けてもらったと感じるはずです。上司もそういう話し方をすることで、「でも結果は結果なんだ」と落ち着いて切り出すことができます。部下もそういう流れなら、自分のどこがまずかったのか冷静に考えることができます。

最初にいたわりの言葉をかけるというのも、基本的ですが応用範囲の広い話し方ですね。同僚同士でも「大変そうだね」とか「ムリするなよ」といった言葉をかけると、「おたがいさまだよ」と穏やかなやり取りになります。親が子どもを叱るときでも、「頑張ってるみたいだね」と励ましの言葉をかけると、スッといい感情が通います。

込み入った話はそれからでも十分に間に合いますね。自分の要求を言い出す前にまず、いたわりの言葉を忘れないようにしてください。

第5章

「わたしの間違いでした」と素直に言えますか？

「間違いは誰にもある」と思える人・思えない人

この章では、感情的にならない話し方をするために大切な〝心の余裕〟について考えてみます。

心の余裕というのは、簡単にいえば許すことです。許す、認める、受け入れるといった、心の大きさと言えばわかりやすいかもしれません。

感情的になりやすい人だけでなく、わたしたちがつい感情的になってしまうときにも、ほとんどの場合は心の余裕がなくなっています。許せない、認められない、受け入れたくないという気持ちです。

したがって、相手のちょっとしたミスや間違い、自分への批判に出合うとたちまち感情的になってしまいます。他人の間違いは許せないし、自分が間違っていることは認めないのです。ずいぶん身勝手な態度ですね。

たとえば他人が間違えたときには「間違いで済むのか！」と責めます。「こんな間違い、許されると思うの！」とか、「間違えるなんて信じられない」と怒ったり呆れたりします。そのくせ自分が責められると「わたしは間違ってない」と言い張ります。「わたしのどこが間違いだっていうの！」と食ってかかります。とにかく心が狭いのです。

こういった心の狭さがどこから来るのかといえば、2つの理由が考えられます。1つはまず、人間は誰でも間違えるという当たり前のことを素直に認められないからです。間違いなんて誰にでもあると素直に思える人でしたら、他人の間違いもあっさり許せますし、自分の間違いもあっさりと認めることができます。「気にしなくていいよ、わたしだってしょっちゅう間違えるんだから」という言葉が笑顔とともに出てきます。

ところが完全主義とか、強迫性格のようなタイプの人は間違いを認めにくいところがあります。強迫性格がひどくなると、何度も手を洗わないと気が済まないとか、外出先で鍵のかけ忘れやガスの元栓が気になって不安でならないような強迫神経症という心の病になってしまいます。完全でなければいけないという気持ちが強い人は、「間違いは誰にでもある」と気楽に考えることができないのです。

「自分の危うさを感じる人」ほど間違いを認めたがらない

心の狭さを作るもう1つの理由は、「バカにされたくない」という気持ちです。

これはみなさん、実感できると思います。

たとえばふだんは穏やかな人でも、ライバルや敵対する人間の前ではつい感情的になってしまいます。

自分を見下す人間や、自分が劣等感を持っている相手の前でも、やはり感情的になりやすいです。

「この人にだけは負けたくない」とか、「この人には弱みを見せたくない」という気持ちになるからですね。

したがって、そういう相手から間違いを指摘されると意地を張ってしまいます。「どこが間違ってるんだ」とか、「キミに言われたくない」と感情的な言葉が出てしまいます。悪いとか、おかしいという指摘に対しても同じです。「何も悪くない」「どこがおかしいんだ」と声を荒らげてしまいます。

こういう心理は、自分よりはっきりと立場の弱い人間に対しても働きます。

たとえば上司の中には、部下のちょっとした指摘や催促の言葉にブチ切れてしまうタイプがいます。

「そんなことは言われなくてもわかってる!」とか、「こっちだって忙しいんだ!」と怒鳴り返すような人です。

つまり権威や体面にこだわるタイプも、感情的な話し方をしやすいのです。口答えする子どもに「生意気言うな!」と一喝する親たちにもそういうところがあります。

ここで気がついていただきたいのは、自分の間違いを認めない人は地位や立場へのこだわりが強いということです。

上司や親としての威厳を傷つけられることを恐れているから、間違いを認めたくないのです。「なめられてたまるか」という気持ちがあります。

でもこの心理は、裏返せば自信がないということです。

ぐんぐん力を伸ばしている部下、社内の評価が高い部下に対して、自分の地位が脅かされると感じる上司ほどこういった態度を取ってしまいます。リーダーシップに自信のない上司もそうでしょう。

親の場合でも、ふだんから子どもと接する機会が少なくて、家庭内での影が薄いと感じている親ほどこういう態度を取ってしまいます。

子どもになめられてしまったら、親としての権威は失墜すると思っているからです。

ほんとうに偉い人は自分の間違いを素直に認める

では、自分の間違いをあっさりと認めることができるのはどんな人でしょうか。

ここまでの説明を読んでいただければ、だいたい想像できると思います。逆を考えればいいのです。たとえば上司でも部下の信頼が厚く、もちろん実力もあって社内の評価も高いようなタイプです。周囲からも尊敬されたり、慕われています。

こういう上司は、たとえ部下から間違いを指摘されても感情的になりません。「あ、そうか、ゴメンゴメン」とあっさり謝ります。「うっかりしてた。教えてくれてありがとう」とお礼を言うことだってあります。

部下のほうも、そのことで上司をバカにしたりはしません。「課長でも間違えることはあるんだな」と思うだけですし、素直に認めてもらえば安心します。むしろ偉ぶらない上司に親しみさえ感じるでしょう。

実際、ほんとうに力のある人や周囲のみんなから認められている人ほど、威張りません。そうする必要がないからです。ほんとうに偉い人ほど、偉ぶったりしないのです。自尊心が満たされているからですね。だから自分の間違いも素直に認めることができます。間違いを認めたからといって、地位を脅かされることもないし周囲になめられることもないからです。

親子の場合でも、自分が子どもから慕われているとか、尊敬されていると思える親なら、「あ、お父さん（お母さん）の間違いだよ」などとあっさり言えます。「お父さんもドジだね」と子どもに笑われても「ほんとだな」とニコニコしているでしょう。

同僚や友人同士の場合でも同じです。弱みを見せたくないとか、負けたくないと考えるタイプほど自分の間違いを認めようとしません。「こんなやつにバカにされてたまるか」と考えれば、相手の指摘に素直に頷くことができなくなります。

でも、みんなに慕われたり好かれたり、認められている人は違います。自分の間違いを素直に認め、たとえそれで目の前の相手からバカにされたとしても平気です。ただの間違いなのですから。

まずできることは、自分の間違いを認めること

自分に自信のない人、周囲の評価も特別高くない人は大勢いると思います。

でも、そういう人ほど間違いを認めたがらないとしたら、感情的にならない話し方のコツもわかってきます。


まず、素直に間違いを認めることです。

「それができないから感情的になってしまう」と思うかもしれませんが、間違いを認めなくても相手はあえて追及してきません。

自分の間違いを認めない上司に対して、部下は諦めるしかないし、部下が間違いを認めない場合でも上司は「もういい」と放っておくはずです。「こいつは余裕がないんだな」と考えれば、あえて追い詰めてもしょうがないからです。

そのかわり、心の中で見放します。「話にならない」と見限ってしまいます。

本人は間違いを認めないことで自分の身を守ったつもりでいるかもしれませんが、逆の結果しか出ないのです。しかも感情的な態度を見せてしまいます。

そうなるくらいなら、自分の間違いを素直に認めたほうがずっといいです。

「あ、わたしの間違いでした」とか、「考えが足りませんでした」と認めても、べつに相手は勝ち誇ることもないし、こちらを見下すこともありません。ただの間違いなのですから。


そして話はそこから始まります。間違いを認めれば、では何が正しいのか、どうすればいいのかという話になります。

トラブルが起きたときでも、こちらの間違いが原因だとすれば対処の仕方もシンプルになります。これからどうすれば間違えないように進められるかも話し合えます。

つまり、間違いを認めることは出発点でしかありません。

認めれば自分の負けとか、「それでおしまい」という終着点ではなく、そこから始まる話し合いがあるということです。

むしろムキになって自分の間違いを認めない人ほど、感情的になってしまい、相手から見下されます。


間違いなんて誰にでもあります。

指摘したほうだって、「わたしの間違いだった」とあっさり認めてもらえば話が簡単です。おたがいに感情的になることもありません。

「まあ、よくあることですから」で終わります。つぎの瞬間にはもう、別の話題になっていますから、相手が間違えたことなんか忘れているのです。

「わたしの間違いかも」と先に認める話し方がいい

自分の間違いを認めたくない人は、相手が納得できないような顔をしているだけで「わたしの言ってることは間違いなのか？」と糾（ただ）します。

「不満そうだけど、オレが間違えているとでもいうのか！」

「わたしは間違えてないよ、キミのほうが間違えているんだ！」

そんな話し方をします。

でも、間違いは誰にでもあります。少しも特別なことではないのです。

自分が間違えているかもしれないと思うことも、ふつうのことです。なにも頑固に「わたしは間違えていない」と主張する必要はありません。

それに、そういう言い方をしてしまうと、相手だって「じゃあ、間違えているのはわたしだけなのか」と思います。「オレはたしかに間違えているかもしれないけど、おまえの考えだっておかしいところがあるじゃないか」と反発します。

それならむしろ、さっさと自分の間違いを認めてしまうことです。自分も間違えているかもしれないという前提で、相手と話してみましょう。それが、「わたしの間違いかもしれないけど」という話し方です。そう前置きして、相手とは違う意見や判断を話してみましょう。相手の意見や判断への疑問があったら口にしてみましょう。

すると相手だって、自分の考えが絶対に正しいとか、自分は間違えていないと言い張る必要はなくなります。目の前の人間が「わたしの間違いかもしれない」と認めているのですから、感情的にならずに話せるのです。

「いや、わたしだって間違えているかもしれない」とか、「ぼくも自分が絶対に正しいと言ってるわけじゃないんだ」とか、そういった穏やかな話し方ができます。仮に間違いを認めたとしても、それは一方的な敗北ではないからです。

この話し方は、第2章で説明した「……と思う」にも共通してきますね。

自分の考えが正しいというのでなく、あくまでひとつの考えであって押しつけるつもりはないというスタンスです。

「それも間違いではないけど」という一歩譲った話し方

相手の考えをいったんは受け止めてみるというのは、感情的にならないためにも大切な話し方でした。

そこで、反対意見を口にするときでも、「それは違うよ」とか「間違っているよ」といきなり否定しないで、「それも間違いではないけど」と頷いてみる話し方もあります。

これは懐の深い上司が気の強い部下にときどき使う話し方です。

たとえば上司の判断に部下が異論を唱えることがあります。「部署の数字が低迷しているから、キミには既存客の掘り起こしを重点的にやってもらいたいんだ」という言葉に、「こういう時期だからこそ、新規のマーケットを開拓する必要があります」といった意見を唱えます。実際、こう書いて並べてみるとどっちが正しいとか間違いという内容ではありません。でも、どちらを選ぶかはリーダーが最終的には判断しなければいけないのですから、上司もここで「それもそうだな」とは言えません。

かといって、「わたしの指示に従えないのか」とか、「わたしの間違いだというのか」といった感情的な話し方をすると、部下は不満を抱えたままで指示を受け入れるしかありません。内心では、「自分は間違えてない。上司こそ間違えている」と納得がいかないでしょう。

言うまでもないことですが、異論を唱えようが反論しようが部下は上司の指示に最終的には従うしかありません。なので、上司はいかに部下が納得できる指示を出せるかが大事なのであって、従わせるだけなら形式的には簡単なのです。

ところがここまでに説明したように、自分の権威や体面にこだわる上司、部下から軽んじられる上司ほど、なめられてたまるかという気持ちになりますから、立場に物を言わせて力ずくで部下を押さえ込もうとします。当然、部下の意見は1ミリたりとも認めるわけにいきません。

でも、それで結局、部下が納得しなかったら意味がありませんね。指示を出してもその通りに動いてくれなかったら、上司は管理能力がないとみなされます。

「目的を忘れない」のが感情的にならない話し方です

上司が部下の意見にひと言、「それも間違いではないが」と言えばどうなるでしょうか。部下はひとまず安心します。最終的には上司を説得できなくても、自分の意見に一定の評価をしてもらったことで落ち着いて話を聞くことができます。

部下が落ち着いていれば、上司も自分の考えをきちんと説明することができます。上司として、いかに部下を納得させ、やる気を起こさせるかが話し合いの大事な目的なのですから、力ずくで部下を抑えるより本来の自分の役割を果たすことにもなるはずです。

「それも間違いではないけど」という話し方も、さまざまな場面、さまざまな相手に対して使うことができます。おたがいが感情的になって、一方的に自分の意見を主張し合うような結果になれば、何の答えも出なくてけんか別れになります。でもどういう場面、どういう相手であっても、何のために話し合うのかを忘れなければ、たとえ感情的になっても決裂ということはありません。おたがいに譲歩し合って一定の成果を出すことができるはずです。

勘違いしてはいけないのは、「それも間違いではないけど」という話し方は相手の機嫌を取るためではないということです。上司が部下の機嫌を取ったり、友人同士でも相手のメンツを立てるために言うのではなく、あくまで感情的にならないためです。

自分は正しい、相手は間違いというスタンスに立てば、どうしても感情的になってしまいます。現実問題として、完全に正しいとか完全に間違いという意見はなくて、それぞれに長所も短所もあって自分はどちらを選ぶかという違いです。

したがって、相手の意見を「間違いではないけど」と認めるのは、ごく当たり前の受け止め方になります。「そういう考え方もたしかにある」という、素直な解釈です。

その素直な解釈を示し、「でもわたしはこう考えるんだ」と話すことで、最初から感情的になってぶつかることだけはなくなります。何のために話し合うのかという目的さえ忘れなければ、こういった話し方は自然に身についてくると思います。

自分の間違いに気がついたらどうしますか？

人間っておかしなもので、自分で考えているときには「これしかない」とか、「これで正しい」という結論がわりと簡単に出てきます。

もちろん自分ではいろいろな可能性を考えたつもりです。決して短絡的な結論だとは思っていません。

したがって、その結論を「無理じゃないかな」と相手に否定されると「どこが無理なんだ」とか、「十分に考えたんだよ」と反発してしまいます。

たとえば仕事のプランでも、練りに練ってあらゆるリスクも想定して「きっとできる」と思っていたのに、相手が「だってスタッフがいないじゃないか」と指摘したようなケースです。

「そんなのわかってる、だからわたしが頑張ればいいんだ」

「人手不足を理由にしたら何もできないじゃないか」

そう反論しますが、じつは痛いところを突かれたと気がついています。

「たしかにそうだ、みんな手いっぱいだ。なんでこんなこともわからなかったんだろう」

そう気がつくと、たちまち自信がなくなってきます。でも、そこで素直に自分の間違いを認めようとしないのがわたしたちです。

あれだけ考え、あれだけ確信を持ったプランなのに、何も知らない他人からあっさり間違いを指摘されると、それを認めることが苦痛になってしまうのです。

心理学の概念に「認知的不協和」と呼ばれるものがあります。

たとえばある宗教を信じている人が、それがインチキだという話が強まってきても認めようとしない心理です。

認めてしまえばいままで信じてきた自分がバカだったということになりますから、余計にその宗教を信じてしまうのです。

つまり間違いを認めることは、自分のやってきたことを否定する結果にもなるのですから、気持ちの上ではどうしても折り合いがつかないのです。

したがって、自分が正しいと思っていたこと、いままでは信じていたこと、あるいは自分に合っていると思い込んでいたことを「間違いじゃないか」と指摘されても、なかなか素直に認めることはできません。

ここまで書いてきたことと矛盾するようですが、間違いを認めるというのが簡単なことではないというのも事実なのです。

感情的な思考パターンから抜け出す一歩

ただし、認知的不協和が感情的な話し方につながっていくことは事実です。

頑固な人、他人の説得に耳を貸さない人、間違いを指摘されると怒ってしまう人には、しばしばそういった心理が隠されているからです。

だからわたしは、何より大切なのは「人間は誰でも間違える」と思えること、「間違いは自分にもある」と認めることだと考えています。

その最初の一歩が、話し合いの中でおたがいの間違いを許すことです。

相手の間違いに対して、「よくあることなんだから」と許し、自分の間違いに対しても素直に認める話し方を心がける。そういう気持ちになるだけで、感情的にならない話し方が次第にわかってくると思っています。

いまのあなたは、自分の間違いに気がついたときに「わたしの間違いでした」と素直に言えるでしょうか。相手や状況によってはむずかしいときがあるかもしれませんね。

でも、そこには「なめられたくない」とか「弱みを見せたくない」という心理が働いていることが多いのです。

それはそれで、結構つらい対人関係を作ることになります。いろいろな場面でつい、感情的な話し方をしてしまう原因にもなります。

そこから抜け出したい気持ちがあるのでしたら、少しぐらい悔しくても「わたしの間違いだったね」と口にしてみてください。大丈夫、間違いなんて誰にでもあることです。それで勝ち誇ったような顔をする相手なら、あまり大した人間ではないと思えばいいのです。

そんな相手より、「間違いは誰にでもある」と思ってくれる人間のほうが大切です。いつも、感情的にならずに話せるのもそういう人です。そういう人が、あなたの周りにもたくさんいるはずです。

あなたの間違いを少しも気にしないで、穏やかな話し合いを進める相手こそ、理解し合える関係を作っていける人間だと思ってください。

第6章

「どっちなの！」と答えを急がせていませんか？

「うーん……」と考え込む人には、それなりの理由がある

理由はいろいろですが、相手の煮え切らない態度にすぐイライラする人がいます。頼みごとをしたときに「うーん……」という曖昧な言葉が返ってくると「嫌ならいいよ」と自分から打ち切ってしまうような人です。

自分の考えを話したときでも、相手が「うーん……」と返事をためらうと、「気に入らないならもういいよ」と打ち切ってしまいます。

どちらの場合でも相手の反応は同じです。「まだ何も返事してないじゃないか」「誰も嫌だなんて言ってないよ」最初からこういうやり取りになると、そのあとの会話もどうしても感情的になってしまいます。答えを急がせる人は、「イエスかノーか、考える必要なんかないじゃないか」と思っています。答えを出せない人は「考えなきゃ返事できないじゃないか」と思っています。リズムがまったく噛み合わないのです。

でも、答えを急がせる人はなぜ「考える必要がない」と思うのでしょうか。

自分の中ではもう、答えが出ているからですね。

「こうするしかない」とか「こうすべきだ」「やるならいまだ」「いましかない」という、ある意味ではとても単純な回路ができていて、あとは相手がオーケーと言えばそれでいいと思っています。

そういう人にとって、即答できない相手こそ不思議です。「こんなわかり切ったこと、なぜ考える必要があるのか」とじれったくなります。


でも、同じ問題に対してすぐに答えを出せない人は大勢います。いきなり「どうだ」と言われても、「よく考えないとわからない」と思うほうが当たり前で、考える材料も条件も人によってずいぶん違います。すでに答えを出している人が「こうするしかない」と信じていることでも、「それだけだろうか」と疑問に思う人もいるでしょう。

つまり、すぐに答えを出せない人のほうが、答えを急がせる人よりも、ずっとたくさんの方略や進路を思いつく可能性があるのです。

即断即決はいいこと？　それとも！

ところが現実の社会では、すぐに答えを出す人や、すぐに行動に移せる人のほうが人気を集めます。

決断力とか実行力というのは、リーダーの必須条件のようにさえ思われています。

それに対して、すぐに答えを出せない人、実行に移せない人には優柔不断とか弱腰といったマイナスイメージのレッテルが貼られてしまいます。

ビジネスの現場ではとくにそういった傾向が強くて、べつにリーダーでなくても即断即決のできる人間ほど、能力がありそうに見えてしまうし、周囲もそういう判断をする傾向があります。

もちろんこれはわたしの印象にすぎないかもしれませんが、少なくとも、すぐに結論を出して動くビジネスパーソンほど、バリバリと仕事をしているように見えるのは事実でしょう。

しかも、即断即決タイプは優柔不断なタイプより颯爽（さっそう）としています。

エネルギッシュで、エキサイティングな印象があります。スローガンは「考えるより行動」であり、「イエスかノーか」であり、「先手必勝」であり、結局、「やるならいまだ」「いましかない」という思考回路になります。

政治家でも経営者でも、こういうタイプのリーダーは目立ちます。いつの時代でもそうでしたが、いまの日本はとくにそういう傾向が強いように感じます。

でもわたしは、こういった即断即決を強いる手法というのは振り込め詐欺と同じだと思っています。

このあたりのことは拙著の『焦らなくなる本』（新講社刊）に詳しく書きましたので繰り返しは避けますが、要するに相手に考える時間を与えない手法なのです。

その意味では、答えを急がせる話し方というのも同じです。

「どっちなの」「どうするの」「やるの、やらないの」といった言葉を畳み掛けて、相手の考える時間を奪っていきます。

考える時間が奪われれば、それだけ理性が薄れて感情的になっていきます。

迷っているときに「どっちなの」と催促されれば、「うるさいなあ」と反発するか、「もうどっちでもいいや」と投げやりになるか、いずれにしても不快な感情に満たされることになります。

そこでもし、「ゆっくり考えてみる」と返事をすればどうなるでしょうか。

答えを急がせる人は、「こんなことも決められないのか」と不愉快になります。でも、振り込め詐欺なら、諦めて電話を切るはずです。

即断即決が感情の産物ということもある

感情のパワーは理性より強いものです。

これはみなさんも実感していると思います。

一度、感情的になってしまうと、それを理性で押さえ込むのは容易なことではありません。ふだんは理性的な人ほど、感情が爆発したときには周囲の人が驚くほどの怒りや憎悪を表しますが、それだけ強い感情が噴き出したということです。強い理性を吹き飛ばした感情ですから、手がつけられないほど荒れ狂います。

でも、感情にはいいところもあります。

たとえば理性では判断がつかないことでも、感情が加わると答えが出てきます。損か得か、成功するか失敗するか、いくら考えても答えが出ないときに、「でもやってみたい」とか、「でもこっちのほうが楽しそうだ」といった理由でわたしたちは答えを出します。感情が決断を後押ししてくれるのです。

ただし怖い面もあって、理性より感情が先立ってしまうと、考えることを途中で放棄する場合もあります。「考えてもムダだ」とか「やってみなくちゃわからない」と自分に言い聞かせ、「これしかない」とか「こうすべきだ」といった感情的で一途な結論を出してしまうことがあります。一種の思考停止です。

感情が進む勇気を作ってくれることもあれば、とどまる理性を吹き飛ばすこともあるのです。まさに両刃の剣ですね。

したがって、即断即決がじつは感情のパフォーマンスにすぎない場合もあります。「さあ、やろう」「やるならいまだ」という掛け声が、本人の理性ではなく昂（たかぶ）った感情から生まれているだけのことだったりするからです。

そういう人間から、「どうする」「どっちなの」と答えを急がされても、返事のできないときはいくらでもあります。「いきなり言われても」「少し考えさせて」と間を置くのは自然な反応ですし、「うーん……」とためらう人がいるのも当たり前のことになるはずです。

アメリカ大統領選挙はなぜ1年もかかるのか？

アメリカ大統領選挙は、4年に一度行われています。

でも日本人にとって、アメリカの大統領選挙というのは、いったいいつから始まっているのかわからないくらい時間をかけて行われます。

その流れを簡単に説明すれば、まず民主、共和両党の候補者を決める予備選挙が半年ほどかけて行われ、それぞれの候補者が決まってから、テレビ討論などを経ていよいよ一般投票が行われてアメリカの正副大統領が決まります。

予備選挙のずいぶん前から各候補者のマスメディアを通じての選挙活動が始まりますから、アメリカ大統領選挙は実質1年以上の時間をかけて争われていくことになります。

しかもさまざまなメディアを通じて候補者の意見や政策は国民に知れ渡っていきます。

候補者同士の公開討論もしばしば行われますから、国民はそれぞれの政策についてじっくりと話を聞き、自分で判断する時間が与えられます。どんなに魅惑的なスローガンを掲げても、その欠陥や疑問点を対立する候補者同士で厳しく追及し合いますから、そのたびに国民も考え直す材料が増えていきます。

しかもテレビ討論はそれぞれの候補者の性格や表情を、リアルに映し出します。苦し紛れの反論や、追い詰められてからの居直りも視聴者には読み取れます。「この議論は勝負あったな」というのがわかってしまうのです。

つまり、1年以上の時間をかけて続けられるアメリカの大統領選挙は、感情的な人間には不利な傾向があるのです。最初はどんなに話題を集め、支持された候補者であっても、次第に冷静さを取り戻していく国民の目を騙し通すことはできないはずです。

もちろん、あえて刺激的な言葉を並べて国民感情を高揚させ、支持を集める候補者もいますが、感情的に見えても、それなりの計算はしていると思われます。

日本はどうでしょうか。

そもそも大統領選挙に該当するものがないのですから比べようはありませんが、有権者が直接関わる一番大きな国政選挙でも、わずか十数日の選挙期間しかありません。危機感を煽り立てるだけのスローガン、「かならず実行します」とか「いましかない」といった実行力を強調するだけの候補者が、その短い選挙期間を乗り切ってしまいます。郵政民営化とか消費税引き上げとか、1つの事柄だけが争点になる選挙さえあります。即断即決型とか、あれかこれか、イエスかノーかという二者択一型の政治家が人気を集めやすいのです。

これは、よくも悪くも感情的な選挙になってしまうということですね。

「考えておいて」という急がせない話し方がいい

少し話題がずれたようですが、大統領選挙の話を持ち出したのには理由があります。

わたしたちは自分が「こうだ」「これならうまくいく」という思い込みが強ければ強いほど、相手にも即答を求めようとします。「うん」と頷いてもらえば満足しますが、「うーん……」とためらわれると不満を持ちます。

でも、即答なんか求めなくても、相手が納得してくれればいいはずです。考えてくれて、そのうえで「うん」と返事をもらったら喜んでいいし、「やっぱりダメ」と断られても困ることはありません。

むしろ「ああ、よかった」と思うことだってあります。

なぜなら、後で考えて「ちょっと軽はずみだったかな」と反省することがあるからです。

よくあるケースで考えてみましょう。たとえばあなたが友人を休日のランチに誘ったとします。近所に美味しそうなレストランを見つけて、入ってみたいけれど1人で食事するのもつまらないから声をかけました。

友人は「うーん……」と気の乗らない返事です。その日の予定があるのかもしれませんし、休日ぐらいは家でのんびりしたいと考えたのかもしれません。

それであなたは「ムリならいいわよ」と諦めます。内心ではちょっとがっかりです。「考えるようなことじゃないのに」と不満も感じます。

でも時間が経ってくると、あなたも「休日ぐらい、家でのんびりしたいな」と考え直します。「いろいろやることもあったし」と溜まっている用事を思い出します。すると、「あのとき約束しなくてよかった」と気がつきます。

つまり、いっときの気分や感情に動かされて誰かに声をかけても、そこで即答してもらうのではなく冷却期間を置くことで、違う答えが出てくることだってあるのです。もちろんその答えが正しいかどうかはわかりません。でも、最初の思いつきよりは冷静な答えになっていることが多いのです。

わたしが言いたいのは、相手に答えを急がせないほうが自分でも考える時間が生まれるということです。

ポンと口から誘いの言葉が出てしまうのは仕方ないとしても、すぐに返事が戻ってこないほうが結果として正解ということもあるのです。

したがって、「考えておいて」という話し方も感情的にならないためには大切になります。弾みで誘ったときでも、「考えてみてね、わたしもよく考えるから」といった言い方です。

大統領選挙の1年という時間は、有権者だけでなく、候補者にも考え直す時間を与えます。選挙期間中に、国民の反応やメディアの批判を受け止めながら少しずつ自分の政策を修正していく候補者が多いのです。

「どうかしら」「どうかな」というソフトな話しかけがいい

相手の煮え切らない返事に、「どっちなの」とイライラしたり、「嫌なら嫌とはっきり言えばいいのに」と思ってしまう。そういう経験は、即断即決タイプの人ほど多く持っているはずです。気の短い人、焦っている人にも同じような傾向があります。

でも、それが感情的な話し方をさせてしまうケースがしばしばあります。

「はっきりしてよ！」とか、「逃げないでよ！」と相手を追い詰めたり、「あなたにはもう頼まない！」と勝手に切れてしまいます。そういう人間を相手にしているほうだって、たまりません。「いったいわたしが何をしたっていうの」と腹が立ってくるし、「この人、ひとりで怒ってる」と呆れるはずです。

では穏やかなタイプ、即断即決にこだわらないタイプはどうでしょうか。

自分の誘いや依頼、あるいは同意を求める言葉の前にひと言つけ加えます。

「どうかしら」とか、「どうかな」といったソフトな言葉です。

たとえば先ほどの休日の誘いでも、「どうかしら、今度の日曜日にレストランにつき合ってもらうのは」といった話し方です。

すると相手も、「そうねえ」とか、「どうかなあ」といったワンクッションを置きやすくなります。というより、自然にそういう返事の仕方になってきます。

流れとして即断即決を求めていませんから、返事にも一呼吸置けます。「どうかしら？」と尋ねられたのですから、考えていいのです。答えを急がせる話し方は、結論だけを求めます。「考えなくていいから返事だけして」、という態度です。

したがって、相手が「うーん……」というためらいを見せただけでイライラしてきます。「わたしが聞きたいのは返事だけ」という、乱暴な話し方になっていることが多いのです。感情的にならない話し方として、この「考える余裕を与える」というコツはぜひ覚えておいてください。それによって、おたがいに納得できる答えが出てきます。

自分の思い込みや、感情的な先走りに気がつくこともできます。冷静な気持ちのままで話し合うことができるのです。

「べつに急がないから」と相手に余裕を与える話し方がいい

答えを急がせる人は、簡単にいえば同意を求めています。

「どっちなの」とか「嫌なら嫌とはっきり言って」と返事を迫りますが、本心は自分の誘いや呼びかけに応じてほしいのです。

それが相手にもわかっているから、「うーん……」となります。

「断ったら気を悪くするかな」とか、「もうそのつもりなんだろうな」と思えば、ノーをはっきり言い出せなくなります。

その点で、相手に考える余裕を与える話し方は、イエスもノーも含めて相手が自分の好きな答えを選べる話し方になります。

イエスを急がせて相手に渋々、頷かせるのではなく、あるいは反発されてノーと言わせてしまうのでもなく、納得してもらった上で答えを出させる話し方です。

たとえば「すぐに返事しなくていいから」という言い方があります。

「返事は急がなくていいですよ」とか、「いま答えなくてもいいですよ」といった言い方があります。


こういう話し方のできる人は、時間を置いたほうが相手だってゆっくり考えて、納得した上で返事ができるだろうと思っています。

もちろん、同意してほしいのです。

自分の誘いや提案、あるいは説得の場合でも、同意してほしい相手に持ちかけるのですから、ほんとうはその場でイエスと返事してもらえばいちばん嬉しいはずです。

でも、「どっちなの」と答えを急がせるのは賢明ではないと思っています。

どうせなら相手にも考える時間を与えて、その上で納得ずくの返事をしてもらったほうがスッキリするからです。


ときどき、相手がその場でイエスの返事をしても、「慌てなくていいからよく考えて」

と言うのがこういうタイプですね。

即断即決を喜ぶタイプは、即答してもらえばそれだけでいい気分になりますが、後になって相手から「話が違う」と責められることもあります。

説明不足だったり、都合の悪いことは隠していたりするからです。

「べつに急がないから」と、ゆっくり相手の返事を待つ話し方は、その意味でフェアな話し方ということもできます。

考える時間が長ければ長いほど、相手もいろいろな疑問が浮かんできます。それに答えてから返事をしてもらったほうが、おたがいに十分納得することができるからです。

感情の「温度差」を知っている話し方がいい

「即断即決は感情のパフォーマンス」と書きましたが、わたしたちは気分が高揚してくるとろくに考えもしないで「やっちゃえ、やっちゃえ」とか「それ行け」となってしまいます。まあ、勢いとか弾みがプラスの結果を出すこともありますから、気分の高揚それ自体が悪いこととは言いません。

ただ、話し方で考えたときに忘れてはいけないのは、気分が高揚しているのは自分だけかもしれないということです。

アイディアやプランもそうです。思いついた本人は「これ、絶対だ」とか「みんな乗ってくるぞ」と思い込んでいても、いきなり持ちかけられた相手が冷静なら「うーん……」という反応が返ってきても不思議はありません。

そこで「何が気に食わないんだ」とか、「どこが悪いんだ」と腹を立てても、相手にはその腹を立てている理由すらわからないでしょう。「だって、とくにいいプランとも思えないんだから」という気持ちかもしれません。

これは、人と人ではそれぞれに感情の温度差があるということです。

自分が熱くなって話しているときは、「どうだ、すごく面白いだろ」と思い込んでいますが、その内容に興味がない相手は気持ちも冷え切っています。「こんな話、いつまで聞かされるんだろう」とうんざりしていることさえあります。

即断即決を求める人は、この感情の温度差に鈍感なところがあります。

自分だけが盛り上がっている（あるいは焦っている、急いでいる）ことに気づかず、相手にも同じような熱さを求めてしまうからです。

その結果、「うーん……」という煮え切らない返事が戻ってきただけで、水を差された気持ちになります。

「せっかく誘っているのに」とか、「すごくいい話なのに」と裏切られたように感じてしまいます。

感情的にならない話し方ができる人は、そういう場合でもすぐに相手と自分の温度差に気がつきます。

「あ、わたしはちょっと熱い」とわかれば、できるだけ一方的にならない話し方を選ぼうとします。

それが、ここまでに挙げたような話し方です。

一呼吸置いて、相手もゆっくり考える時間を作ること。

そうすれば、おたがいの温度差がなくなってきて、おたがいに納得のできる答えが出てくるはずです。

第7章

「ありがとう」は相手を信じる話し方

相手の言葉の裏を読もうとする人の心理とは？

わたしたちを感情的にさせてしまう心理のひとつに、不信感があります。相手に対して不信感を抱いてしまうと、うわべは落ち着いて話しているようでも、「この人の言うことなんか信用できない」という気持ちでいっぱいですから、どうしても素直になれないのです。

たとえ相手がこちらをほめたとしても、「どうせ口先だけ」「内心では軽蔑しているくせに」と受け止めます。「わたしなんか、まだまだですよ」と相手が謙遜する態度を見せても、「ほんとは自慢したいくせに」とか「わたしをバカにしている」と受け止めます。とにかく素直になれないのです。

わたしが敬愛する精神医学者の土居健郎先生（故人）は、代表的な著書である『「甘え」の構造』（弘文堂刊）の中で「素直に甘えられない人」という表現をしています。

他人の言葉を素直に受け入れられない人、相手の好意を好意として受け止めない人、すぐに相手の言葉の裏を読もうとする人は、本質的には人間不信であり、それは小さなころから甘えを経験してこなかったことが原因だと書いています。

甘えるというのは、本来、少しもむずかしいことではありません。子どもが親に甘える、大人同士でも他人に甘えたり、甘えられたりすることは、とても素直な感情の動きになるはずです。

でも、それができる人とできない人がいます。できる人は、他人を信じる人です。甘えを許してくれるとか、受け止めてくれると信じているから甘えることができます。自分が甘えられたときでも、相手の好意を信じるから受け止めることができます。

できない人は他人を信じない人です。いままで、甘えても拒まれたり、自分も他人の甘えを拒んできた人は、他人の好意を素直に信じることができません。どうしても、言葉の裏を読んだり、勘ぐったりします。そのまま受け止めれば善意や好意そのままの言葉でも、裏を読んで悪意を感じてしまうのですから、どうしても嫌な気持ちになりやすいのです。これでは相手も困ります。

言葉はもともと深読みすればきりがないのです

「あなたはほんとうに頑張り屋さんだなあ」

「何をやるときでも一所懸命になる人だね」

同僚や友人にこんな言葉をかけられたらどう思いますか。

言葉の意味は誰でもわかるはずです。頑張る人や一所懸命の人を称えている言葉です。

ほめられているのですから、ほんとうは喜んでいいはずです。

でも、こんな単純な言葉でも深読み、裏読みする気になればいろいろな解釈ができます。

「頑張るしか能がない」とか、「一所懸命やっても人並み」といった受け止め方だってできます。

すると、「どうせわたしには能力がないって言いたいんでしょ！」とか、「要領の悪いやつだと思ってるんだろ！」といった反発の言葉が出てしまいます。これでもう、感情的な会話モードに突入です。

「誰もそんなこと言ってないじゃないか！」

「ほめているんだよ、素直に喜べばいいのに」

「なんでそんなややこしい受け止め方をするんだ」

相手だって、自分の好意を捻じ曲げられたら怒ります。「この人に何を言ってもムダだ」とさえ思ってしまうでしょう。

ところが一度深読みしてしまうと、そういう相手の素直な好意さえ信じることができなくなってしまいます。「騙されるもんか」と意地を張ってしまうのです。

こうして書いてみると、人間の心理はむずかしいですね。

言葉通りのやり取りで済めば、「ありがとう」のひと言でおたがいにいい気分になれるのに、ちょっとした食い違いがたちまち悪感情を生んでしまいます。

でもその食い違いがどうして生まれたのかを考えてみると、相手の言葉に好意を感じるか、悪意を読み取るかの違いになってきます。

素直に受け止めるか、捻じ曲げて受け止めるかの違いと言ってもいいです。


言葉はこちらの気持ち次第でどのようにでも受け止めることができます。

文字通りに素直に受け止めればふんわりした感情が生まれるのに、深読みして悪意を探し出せばざらざらした感情が生まれます。

感情的にならない話し方をするためには、どちらが賢明なのか、すぐに答えが出ると思います。

好意は好意として受け止めよう、深読みはいつでもできる

そこでアドバイスさせていただきます。

たとえ鈍感と思われてもいいのです。

相手が投げかけてくれた好意の言葉は、ひとまずそのまま好意として受け止めてみましょう。

これは、「素直に甘えられない人」にとってはむずかしいかもしれません。

すぐに言葉の裏を読もうとしたり、悪意を感じ取ってしまうタイプの人は、そこまで単純な気持ちにはなれないかもしれません。

でも、自分にはそういう傾向があると認めるだけでも違います。「わたしって、すぐに勘ぐってしまう」とか、「人の好意を疑うクセがある」と認めた上で、そういう気持

ちになりかかったときには「ストップ!」と自分に声をかけてみてください。

「裏読みはストップ、素直に喜ぼう」

さっき書いたばかりです。言葉はもともと、どのようにでも読み取れます。でも、わざわざ複雑な読み方をしなくても、好意は好意としてまず受け止めていいはずです。いちばん素直な受け止め方をして、とくに困ることはないはずです。

なぜなら、裏読みしていけばきりがないからです。

「いまのは皮肉に決まっている」と考えても、「でも、ただのほめ言葉だったらどうしよう」と考え直すときもあります。

相手は単純にほめてくれただけなのに、こちらが勝手に悪意をくみ取るというのは、相手の好意を裏切ることになります。

そんなややこしい受け止め方をするぐらいなら、好意の言葉は好意としてそのまま受け止めたほうがいいのです。

ほめてもらったら「ありがとう」、アドバイスしてもらったら「ありがとう」、誘いの声をかけてくれた人には「ありがとう」。

すべて相手の好意を素直に信じる返事でいいはずです。

深読みグセのある人は、それでもつい考えてしまうかもしれません。

「いまの、どういう意味だろう」とか、「信じていいのかな」「何か企んでいるかもしれない」……考えるのは自由です。

「考えすぎかな」と思い直すことだってあるでしょう。

それはいつでもできるのです。当面は好意として受け止めておいて、あとで考えるだけでしたら、感情的な話し方はしないで済みます。

断定的な話し方は相手の感情に火を点けてしまう

感情的にならないコツとして、最初のひと言で気持ちを落ち着かせるというのがあります。「ひと言」は態度でもいいですし、表情でもいいです。

自分から話し始める場合でも、相手から話しかけられた場合でも、まず最初のひと言です。そっぽを向いて話したりしないで、きちんと相手と向き合うかどうか。睨（にら）みつけたりしないで笑顔を浮かべたり、リラックスして相手と向き合うかどうか。

そういったことも含めて、口を開いたときに出てくる最初の言葉がやわらかな響きかどうかというのは、とても大切なことになってきます。

たとえば切り口上の話し方というのがあります。

相手と向き合うなり、「ちょっと、ひどいじゃないか！」とか、「正直に答えろよ」といった詰問調の言葉をぶつけるような話し方です。

「言いたいことはわかってるね」とか、「あなたには呆れたわ」といった、最初から相手の非を責める話し方も同じです。とにかく自分の怒りや憎悪の感情を最初のひと言に注ぎ込んでしまう話し方です。相手から話しかけられたときも同じです。

最初のひと言で、どう受け答えるか、その話し方次第でたちまち感情的なやり取りになってしまうというケースはいくらでもあります。

「それってどういう意味？」といった疑いをぶつけるひと言。

「わたしのせいなの？」という白黒の決着をつけようとするひと言。

そういったひと言に共通するのは、すべて断定的な言い方になっているということです。自分の中で答えが出ていて、それをそのまま相手にぶつけます。悪いのは相手、自分は正しいという決めつけがあります。

でも相手にしてみれば、「ちょっと待って」という気持ちです。

「どっちが悪いか」なんて、まだ答えが出ていません。自分が悪かったとしても、何もかも自分のせいだとは思いたくないはずです。それをいきなり断定的な話し方をされてしまえば、感情に火が点くのも当然のことなのです。

穏やかな会話は感謝やお礼の言葉から始まります

相手の感情を刺激しないように話せる人は、最初のひと言に注意します。いきなり断定的な言葉を口にしないのはもちろんですが、ズバッと話題の核心や結論段階に入らないようにします。

これはもちろん、そのときの状況や時間の有無にもよります。

ビジネスの現場では挨拶、前置きなしにいきなり用件を切り出したり、話の核心に入る場合もあるでしょう。

でも、ひと言の余裕もないという場面はありません。

ほんのひと言なら数秒で済むのですから、そこでやわらかい言葉が出てくればおたがいの感情コンディションが良好に保たれたままで話に入ることができます。

たとえば上司が部下を自分の席に呼びつけた場合でも、「仕事を中断させて申し訳ない」とか、「忙しいときに悪いね」といったひと言があると部下も安心しますね。「いえ、こちらこそ」とか「とんでもないです」と返事するだけで、平静な気持ちになって上司の話を聞くことができます。

外で友人と会ったり、仕事関係の人と打ち合わせるような場合でも同じです。こちらから声をかけたときには、時間を割いてもらったことや、わざわざ足を運んでもらったことにまず感謝するひと言を口にすれば、それだけで穏やかな雰囲気が生まれます。

そういった言葉は、たしかに形式的といえば形式的です。ビジネスシーンの常套句に「お世話になります」とか「いつもご迷惑をおかけしております」といった言葉がありますが、それがたとえ形式的なものだとしても、おたがいの感情を平静にさせるという効果はたしかにあると思います。

ポイントは、感謝やお礼の気持ちを言葉にするということです。

とっさに思いつく言葉がなくても、そのことさえ忘れなければいいのです。

そうすれば自然に出てくるひと言がきっとあるはずです。


「今日はありがとうございます」

「いつもすみません」

そんな平凡なひと言でも、平凡だからこそ相手にも伝わりやすいし、おたがいの感情をやわらげることができるのです。

「ありがとう」は口にするだけで落ち着いてくる言葉です

では、ここまでの説明に頷いてもらえたとして、相手の好意に出合ったときにはどういう話し方をすればいいのか、考えてみましょう。

とても簡単ですね。「ありがとう」のひと言をまず言葉にしてみる、それだけです。

「ありがとう」や「ありがとうございます」はとても平凡な言葉です。誰でも口にしたことがあるし、誰でもスッと出てくるはずです。

どういうときに使えばいいかとか、どう使えば効果があるかとか、そんなことは考える必要もありません。感謝の気持ちや、嬉しい気持ちを素直に言葉にするだけのことです。

相手がほめてくれたり、自分にアドバイスしてくれたり、あるいは誘いの声をかけてくれたときも、まず出てくる言葉は「ありがとう」でいいはずです。

それは同時に、相手の好意を素直に受け入れることでもあります。「ありがとう」と感謝の気持ちを表すのですから、そのまま真っ直ぐに相手に伝わります。お礼を言われて怒る人なんかいないし、勘ぐる人もいないはずです。

そして何よりも、これがいちばん大事なことかもしれませんが、「ありがとう」を言葉にできたときには本人も嬉しいのです。

相手の好意を素直に受け止めた自分、感謝の気持ちを素直に言葉にできた自分が嬉しいのです。それだけで、気持ちが落ち着いてくるはずです。

これでおたがいに、いい感情が生まれますね。

最初に穏やかな感情が生まれれば、そのあとどういう話になっても穏やかな会話ができます。好意を好意として受け止める人は、どんな相手に対しても感情的にならない話し方が自然にできる人でもあるのです。

好意を受け止めてもらうと人は笑顔を浮かべる

話を戻してみます。相手の言葉を深読みする人のことです。

相手の好意を好意として素直に受け取れない人は、当然、「ありがとう」の言葉も出てきにくいでしょう。

「どうせ皮肉に決まっているのに、お礼なんか言ったらバカみたいだ」

「相手は心の中で笑うだろうし、わたしだって卑屈な気持ちになってしまう」

すべて深読みのせいですが、仮に相手の本心に悪意や意地の悪さが隠れていたとしても、べつにいいじゃないかとわたしは思います。

たとえば先ほどの例のように、「頑張り屋さんだね」と言われたときです。

「ありがとう。わたしの取りえは頑張ることだから」

そんなふうに答えたらどうなるでしょうか。

べつにどうもなりませんね。

相手だって、「羨ましいなあ」としか言えません。

たとえ「嫌味が通じない」と内心でガッカリする人がいたとしても、まさか言い直すわけにもいきません。

やっぱり「うん、そこがあなたのいいところだね」と頷くしかないはずです。

そして本当に素直な気持ちで好意を伝えた人は喜びます。

「よーし、頑張り屋さんに倣ってわたしももう少し頑張ろう」と笑顔を浮かべるでしょう。

「たまには息抜きも必要だから、今日は美味しいものでも食べにいこう」

結局、相手を信じる人に幸せがやってくるということですね。

エピローグ

嫌いな人でも正しいことを言います

頷くことは従うことではありません

「この人、けっこう感情的になるな」と思わせる相手でも、憎めないタイプっていますね。

「会えばいつも口ゲンカするけど、あの人のことはそんなに嫌いではない」と思わせるようなタイプです。

もしそういう人になれたら、あるいはなれなくても少し近づけたら、感情的な話し方をとくに恐れなくていいということになります。最後の最後ですから、そんな気楽な心構えのヒントを書いてみます。

話し方は相手によって変わってくると何度か説明してきました。

自分が嫌いな相手と向き合えば、どうしても感情的な話し方になってしまいますし、好きな相手と向き合えば朗らかで穏やかな話し方になっていきます。自然にそうなってしまいます。

人間ですから、好き嫌いはどうしようもありません。

好きな人、嫌いな人が周囲に入り交じっていることも仕方ないでしょう。

でも、相手によって話し方が感情的になってしまうというのでしたら、打つ手はなくなります。嫌いな人を「好き」と思い込むなんてできないのですから、毎回、毎回、些細なことで感情的になってしまいます。

そのとき、「負けたくない」という気持ちになります。

「こんな人の意見なんか認めるものか」とか、「うまいこと言ってもわたしは騙されないぞ」という気持ちです。相手の意見や説得を受け入れたら、自分が負けたことになってしまうと考えるのです。

でも不思議ですね。

好きな人や、とくに嫌いではない人の意見や説得なら、それが納得できるときには素直に受け入れます。べつに、負けたとは思いません。「だってその通りだと思うから」という気持ちです。

ところが嫌いな人にだけは違います。認めることは負けることだと考えてしまいます。たとえ相手の言っていることが正しいと思っても、あれこれ難癖をつけたり、どうでもいいような欠点を大げさに突っついたりします。全然、素直じゃないのです。


落ち着いて考えてみましょう。

相手の意見に頷くことは、納得するということです。共感し、賛成することです。自分でも考え、「そうだな」と納得できたから頷きます。

べつに相手に従ったわけではありません。

まして、負けたわけでもなく、同じ意見を共有し合えたというだけのことなのです。

納得がいかないのに頷けば、それは負けです

今度は好きな人で考えてみましょう。

好きな人でも、ときどきおかしなことを言います。

「いまの、違うんじゃないかな」とか、「この人、ちょっと極端じゃないかな」と思うときがあります。

でも、好きな人が相手だと、反論しにくくなります。

それでつい、曖昧な笑顔を浮かべて「それもそうだねえ」と頷いてしまうことがあります。

とくに感情的になりませんから、穏やかな話し方はできるのですが、どことなくモヤモヤした気持ちになります。

そのモヤモヤした気持ちの正体は、自分自身に感じた後ろめたさや卑屈さかもしれません。好きな人を怒らせたくないとか、嫌われたくないと考えて、納得のいかないことでも頷いてしまった後悔もあります。

つまり、負けたのです。

反対意見があってもそれを口にしないで、相手の言うことに従ったのですから、今度ははっきり、負けと言ってもいいはずです。

わたしはこの本の冒頭で、「感情的になったらなったで仕方ない」と書きました。最低限のルール、怒鳴ったり相手を傷つけるような言葉は口にしないというルールさえ守れば、ときには感情的になって激しい議論をするのも仕方がないと書きました。どんなにそのときは激しい応酬になっても、それは意見のぶつかり合いですから、相手を憎んだり恨んだりすることはありません。

議論が終わればすべて忘れてふつうのつき合いができるのです。

でも、表面的にどんなに穏やかな話し方ができても、納得のいかないまま相手の意見に従ってしまうと、ふつうのつき合いができなくなります。

本文の中でも少し触れましたが、「それは間違っている」と言えない相手や、あまり従属的な関係を周囲に作ってしまうと、悪い感情がどんどん溜まってしまいます。するとその悪い感情がはけ口を求めて、自分より弱い人間や嫌いな人間に向かうことになります。

自分の上役には平身低頭する上司が、部下に威張り散らしたり、怒鳴り散らすのもそういう理由があるはずです。

人ではなく言葉！ 嫌いな人でも「いいこと」を言ったら喜びましょう

「属事思考」という言葉があります。堅苦しいイメージですが、簡単にいえば、罪を憎んで人を憎まずということです。

誰が言ったか、誰がやったかというふうに人物で判断するのが「属人思考」で、何を言ったか、何をやったかというマター（事柄）で判断するのが「属事思考」です。

わたし自身は、ずいぶん以前からこの属事思考を貫くようにしてきました。

たとえばメディアで「いいこと言うなあ」と感心するような意見と出合い、調べてみたらそれがわたしの嫌いな人間の言ったことだとわかっても、「でも正しい意見だな」と認めます。

逆にわたしが好きな人や尊敬している人が納得できない意見を口にしたときには、「あなたを嫌っているわけではないけど、その意見には賛成できない」とはっきり言います。個人を批判するのでなく、あくまで意見を批判します。

　こういう思考法は、敵味方の区別を作りません。1つのマターでは味方同士になっても、別のマターでは対立するのですから、相手にしてみればわたしは「いい、悪い」をはっきり言う人となります。それはそれで、後腐れのないつき合い方ができると思うし、わたし自身もすごく楽に生きていくことができます。

　感情的にならない話し方の締めくくりとして、この属事思考というのはぜひ覚えておいてください。


「こいつ、嫌なやつだけどたまにいいこと言うな」

「彼女はわたしと合わないけど、あ、同じこと考えているんだって思うときがある」

　嫌いは嫌いでいいです。

　わかり合えたなと思ったときだけ、笑顔を浮かべてください。

　ただそれだけの人間関係が、いちばん長続きするし、感情的にならない話し方ができる秘訣ではないでしょうか。

本書は、新講社より刊行された単行本を文庫化したものです。

和田秀樹（わだ・ひでき）
　1960年大阪府生まれ。85年に東京大学医学部卒業後、東京大学医学部附属病院精神神経科助手、米国カール・メニンガー精神医学校国際フェローを経て、現在は精神科医。和田秀樹「こころと体のクリニック」院長。和田秀樹カウンセリングルーム所長。国際医療福祉大学教授、一橋大学経済学部非常勤講師、川崎幸病院精神科顧問。
　主な著書に、『「心が強い子」は母親で決まる！』（三笠書房）、『自分は自分 人は人』（三笠書房《知的生きかた文庫》）、『受験は要領』『勉強できる子のママがしていること』（共にPHP研究所）、『感情的にならない本』（新講社）など多数がある。
ホームページ：www.hidekiwada.com

知的生きかた文庫

感情的にならない話し方

著　者　和田秀樹
発行者　押鐘太陽
発行所　株式会社三笠書房
〒一〇二-〇〇七二　東京都千代田区飯田橋三-三-一
電話〇三-五二二六-五七三四〈営業部〉
　　〇三-五二二六-五七三一〈編集部〉
https://www.mikasashobo.co.jp
印刷　誠宏印刷
製本　若林製本工場

ISBN978-4-8379-8684-3 C0130